Ce volume contient un récit simple, comme était Cathe-rine. Si ce récit vivant a parfois la couleur d'un roman, il n'a rien de romancé, tout ce qui est dit se trouve fondé dans un second volume intitulé Preuves *où l'on retrouvera les preuves historiques, des compléments sur les points moins essentiels.*

LES APPELS DE NOTES QU'ON TROUVERA DANS LE TEXTE RENVOIENT A CE VOLUME DE PREUVES.

Nihil Obstat :　　　*Imprimi Potest*　　　*Imprimatur*

14 septembre 1980　*15 septembre 1980*　*20 septembre 1980*
J. Gonthier CM.　　*L. Lauwerier CM.*　　*P. Faynel*
Censor deputatus　　*Supérieur provincial*　*Vicaire épiscopal*

VIE
DE CATHERINE
LABOURÉ

Voyante de la rue du Bac
et servante des pauvres
1806-1876

par R. Laurentin

Docteur ès-lettres, Docteur en Théologie
Professeur à l'Institut Catholique
Membre de l'Académie Mariale Internationale de Rome

avec une équipe de Filles de la Charité
et le concours de Dom Bernard Billet

DESCLÉE DE BROUWER
LAZARISTES, 95, rue de Sèvres, Paris 6°
FILLES DE LA CHARITÉ, 140, rue du Bac, Paris 7°

Je vous salue Marie pleine de grâce [...]
O Marie conçue sans péché, priez pour nous
qui avons recours à Vous.

*Telle est la prière que tu as inspirée, ô Marie, à sainte
Catherine Labouré, en ce lieu même voilà 150 ans : et
cette invocation, désormais gravée sur la Médaille, est
maintenant portée et prononcée par tant de fidèles dans
le monde entier [...].*

*En ce lieu béni, j'aime à te rendre moi-même aujour-
d'hui, la confiance, l'attachement très profond dont tu
m'as toujours fait grâce. Totus tuus. Je viens en pèlerin
[...] comme le bienheureux Maximilien Kolbe avant son
voyage missionnaire au Japon, voilà juste 50 ans.*

       *Jean-Paul II à la chapelle de la rue du Bac
       31 mai 1980*

Ce livre, où vous allez suivre Catherine, cette inconnue, pas à pas, et de plus en plus précisément jusqu'à l'heure de sa mort, ce n'est pas un roman. Cette vie a été arrachée aux documents d'époque. Ignorés, oubliés jusqu'ici, ils ont été retrouvés, déchiffrés, recopiés, classés dans l'ordre chronologique. 500 questions leur ont été posées. Les réponses ont été collationnées dans les quelques mille notes de la grande édition scientifique, au tome des Preuves *(640 pages). Ce volume est nécessaire à ceux qui veulent tout savoir et tout vérifier. Il le sera plus particulièrement à ceux qui avaient entendu des objections contre Catherine et la Médaille miraculeuse. Ces objections et difficultés ont circulé de longue date, même dans les milieux chrétiens, même dans l'entourage de Catherine.*

Pourquoi Catherine a-t-elle été critiquée ? parce qu'elle était une pauvre femme, une paysanne et simple. Comme Bernadette, elle décevait ceux qui auraient souhaité une voyante plus mystique. La « mystique » de Catherine c'était la simplicité, selon l'Évangile, c'était la transparence. L'Esprit-Saint était en train de restaurer en elle une sainteté purement évangélique, la sainteté des pauvres, sans œuvre ni gloire, bien nécessaire pour les temps modernes : cette même sainteté qu'il a continué d'éveiller, de manière convergente et différente, en Bernadette de Lourdes, Thérèse de Lisieux et d'autres : celle à laquelle il t'invite, de l'intérieur, lecteur de ce livre.

La ferme de Fain.
En haut : chambre natale et berceau de Catherine.
En bas : porte d'entrée.

1
L'enfance et le deuil
(1806-1818)

9 octobre 1815. L'Empereur Napoléon 1er est en route pour Sainte-Hélène, où il arrivera le 15, avec son petit groupe de fidèles. En France, la Restauration s'installe et reprend son souffle, tandis que les grands rêves de révolution et de gloire se dissipent comme nuages sur champs de ruines.

Une orpheline

A Fain-les-Moutiers, village bourguignon de deux cents habitants à peine[1], une petite fille pleure. Elle s'appelle *Catherine* Labouré, mais répond au nom de *Zoé* : la sainte du jour de sa naissance[2]. Elle n'est pas seule à pleurer, elle est la huitième des dix enfants qui viennent de perdre leur maman : Madeleine Gontard[3], 46 ans, d'une famille aisée, devenue fermière par son mariage avec Pierre Labouré[4]. Le décès a été subit. La maison est en deuil depuis 5 heures du matin. Les voisins offrent leurs condoléances et leurs services au fermier : Pierre Labouré, qui était, jusqu'au mois dernier, Monsieur le Maire. La grande salle de ferme est remplie de chuchotements feutrés. On prie avec ce goût nouveau de la prière qui a surgi après la clandestinité de la Révolution encore proche. On plaint les plus jeunes enfants : Catherine, 9 ans[5], Tonine, 7 ans, et Auguste, 5 ans, infirme par accident[6].

Les parents : Pierre et Madeleine Labouré.

Cette nuit, les verrous ne seront pas fermés. Des ombres se relaieront pour prier autour du lit où repose le visage d'ivoire[7]. La mort de la fermière fait apparaître, en forme de désordre ou d'impérieux besoins, tout ce qu'elle faisait et qui ne se fait plus : tout ce qui l'a usée, détruite à petit feu. Élevée dans un milieu huppé, presque insouciant, elle a ployé sous le poids de la ferme : la terre, les bêtes, les gens, les enfants ; elle en a eu 17 en moins de 20 ans[8], dont 10 ont survécu[9]. On ne comptait que ceux-là, en ce temps de haute mortalité infantile. Il fallait alléger les bilans de mort. Madeleine était si débordée qu'elle n'a pas même appris à lire à ses plus jeunes enfants. Catherine restera longtemps honteuse de ne pas savoir signer son nom. Quant au petit dernier, Auguste, son état chétif semble témoigner de l'usure où sa mère était parvenue à la quarantaine. Confié à la servante, dans la « patache » qui ramenait la famille de Senailly, il est tombé sur la route. On l'a ramassé, inanimé. Il est resté dans le coma pendant plusieurs jours, il sera infirme pour le reste de sa vie[10], assez lucide pour en être profondément humilié, fantasque pour masquer sa détresse.

Que faire de tout ce petit monde ?

Le fermier improvise des solutions de fortune avec la patience des paysans. Les deux petites filles : Catherine et Tonine, seront prises en charge

Coin-cuisine de Catherine dans la salle de séjour.

par une sœur de leur père, Marguerite, mariée à Antoine Jeanrot, vinaigrier à Saint-Remy[11], à 9 kilomètres au nord-est de Fain. Ce sera autant de moins pour Marie-Louise[12], 20 ans, deuxième de la famille, l'aînée des filles. Elle était jusqu'ici en pension à Langres, chez une sœur de sa mère, sans enfants, épouse d'un officier[13]. Elle rentre à la maison, et reprend vaillamment la charge qui a écrasé sa mère. Quant au père, il se félicite d'avoir renoncé dès le mois dernier à la mairie, où il avait succédé, en 1811, à son cousin, Nicolas Labouré[14].

L'exil de Saint-Remy (1815-1818)

En cet automne 1815, Catherine, la main dans la main de Tonine, quitte la ferme natale, à travers les chemins dont les grands arbres ont commencé à reprendre leurs teintes d'or et de pourpre. Elle se sent doublement orpheline, car la

mort de sa mère l'éloigne aussi de son père. Et cet arrachement-là n'est pas le moindre. Son père compte beaucoup pour elle : l'aînée des deux filles demeurées jusqu'ici à la maison[25]. Sa vie reste orientée vers la ferme paternelle, comme une boussole vers son pôle.

Quant au vide laissé par sa mère, Catherine a trouvé d'elle même une solution. Dans la chambre de la défunte (était-elle encore sur son lit de mort ?), il y avait une statue de Marie. « Zoé » n'était pas de taille à l'atteindre. Toute en larmes, elle monte sur le meuble et embrasse Notre-Dame. Elle lui demande ainsi de remplacer la mère qu'elle vient de perdre. Elle se croyait seule, mais la servante, à qui rien n'échappe, l'a vue, et c'est elle qui l'a raconté plus tard à Tonine[26].

Ces larmes sont les premières et les dernières. Catherine est forte maintenant. La nouvelle mère qu'elle s'est choisie lui apprend, non à gémir et à vivre en dépendance, mais à prendre en main sa vie.

L'épreuve, pour l'heure, c'est cet exil à Saint-Rémy. Le site est aimable, au bord de la Brenne. La grande maison au toit de tuiles est accueillante, avec son portail, et le va-et-vient des clients du vinaigrier, mais le mur du jardin aveugle le paysage côté rivière : côté dangereux et interdit. La maison est animée : 2 cousins et 4 cousines de 10 à 18 ans, tous plus âgés que les deux petites.

C'est en embrassant cette statue que Catherine choisit Marie pour Mère.

La salle de séjour, royaume de Catherine : vue du fond avec le coin-cuisine, et vue de l'entrée, une cheminée aux deux bouts.

Mais la tante Jeanrot, surmenée par cette lourde famille et par son commerce de vinaigre, les abandonne le plus souvent à la servante de la maison[27]. Sans doute avait-elle présumé de ses forces en proposant de recueillir les deux orphelines.

*Le retour
(janvier 1818)*

Au bout de 2 ans, le père, qui avait consenti à la séparation à regret, sous le coup du deuil, « s'ennuie de Catherine », sa préférée parmi les trois filles. Il la rappelle à la ferme[28].

Pour elle, ce retour est une fête à tous égards, car elle rentre aussi pour faire sa première communion, fixée au 25 janvier 1818[29]. Une grande ferveur lui vient alors, un joyeux élan vers Dieu qu'orchestre la joie humaine de retrouver la maison. Elle a du goût pour le travail, et de l'initiative.

Pour Marie-Louise, la grande sœur, qui l'initie aux travaux du ménage[30], c'est la solution d'un problème. Au moment de la mort de sa mère, elle s'apprêtait à « postuler » chez les Filles de la Charité, à Langres : la ville où elle avait grandi. Le retour à Fain était pour elle une contrainte, un exil. Les initiatives de Catherine, sa bonne entente avec le père, la libèrent. Dès le 5 mai suivant, elle retourne à Langres pour y commencer son postulat chez les Filles de la Charité[31].

Catherine-Zoé, 12 ans tout juste, a facilité ce départ. Quand il en a été question, elle a regardé joyeusement sa cadette, Tonine, 9 ans et demi, et lui a dit :

— *A nous deux, nous ferons marcher la maison*[32].

Le recours à Marie n'a pas été pour elle un refuge passif d'enfant frileuse. C'est en fille libre et responsable qu'elle avait noué ce lien dans la nuit de la foi. A 12 ans, elle est mûre pour prendre en main le fardeau qui avait écrasé sa mère, et devenir la première collaboratrice du père.

2

La vocation

Une fermière de 12 ans

Voilà donc Catherine devenue fermière. C'est elle qui assume le rôle de mère de famille et de maîtresse de céans.

La ferme, au toit de tuiles rouge-gris[1], forme un rectangle de bâtiments presque fermé, à la manière d'un cloître[2]. Elle ouvre sur la rue par un porche, et culmine à 10 mètres de hauteur dans le fameux pigeonnier, presque trapu, tant il est large[3], qui signale les Labouré comme « une des premières familles du pays »[4]. Les gens y regardent à deux fois avant de franchir le portail de l'ancien Maire.

— *N'alliez-vous pas vous amuser avec Zoé ?* demandait-on à une fille de Fain, du même âge que Catherine.

Elle répondit :

— *Oh non ! Les Labouré étaient d'une condition plus élevée que nous. On ne se permettait pas d'aller chez eux sans motif. Ils étaient de gros propriétaires. C'était une des meilleures maisons de Fain*[5].

Fain était un petit pays, mais le père de Catherine y était le premier, par l'instruction et le prestige.

Huysmans a présenté Catherine comme une « ancienne servante de ferme »[6]. Telle n'était pas sa position. La Vierge l'a-t-elle choisie « fruste et bornée », comme il ajoute ? Ce qui est vrai, c'est qu'elle est illettrée et le restera jusqu'à 20 ans :

plus tard que Bernadette de Lourdes. Mais, comme Bernadette, elle a une carrure, et la richesse humaine des pauvres, qui n'ont pas attendu d'apprendre à lire et à écrire pour exister. Bernadette aura, comme aînée, des devoirs d'« héritière » à la mode de Bigorre[7]. Le titre d'héritière était une ironie pour Bernadette, dont les parents n'avaient que des dettes... mais les parents de Catherine possédaient la terre qu'ils cultivaient.

Comme orpheline, Catherine a été promue maîtresse de maison dès l'enfance[8] : une position que bien des femmes n'atteignaient qu'à la cinquantaine, ou jamais : certaines restant, jusqu'à la tombe, sous le joug d'une toute-puissante belle-mère. A 12 ans, Catherine est la reine, dans cette grande ferme close comme un bastion : une reine laborieuse, mais commandant aux serviteurs et à la servante[9].

Son royaume, c'est l'enclos, l'étable, le jardin, et surtout la salle de ferme. Le père y est roi, quand il rentre des champs. Ses paroles sont rares, mais décisives[10]. Elles garantissent tout d'abord à Catherine l'autorité sur ce lieu : cuisine et salle de séjour tout à la fois. La reine n'est rien, qu'en dépendance du roi, et se tait quand il

est là. Son domaine, c'est aussi la chambre à four[11], le verger, l'étable, le poulailler[12], le colombier de 1121 cases[13], qui abrite 6 à 800 pigeons[14]. Catherine aime son peuple bruissant et roucoulant, qui fait claquer ses ailes, tout autour d'elle, pour attraper au vol le grain qu'elle lance généreusement. L'imagerie des témoins a donné rétrospectivement à cette envolée une forme de couronne ou d'auréole[15].

La journée de Catherine

Comme maîtresse, Catherine est la première levée dans la maison[16]. En toute saison, elle doit s'éveiller la première. Ses yeux s'ouvrent, lorsque la nuit blanchit et que l'horizon commence à se teinter de bleu ou de mauve, à travers les fenêtres qui donnent sur le plateau en bocage. Elle aime l'aurore[17], surtout l'hiver, quand les nuits sont plus longues que sa fatigue, et qu'elle guette le premier rayon du jour, sous l'édredon.

Au solstice d'été, c'est une autre affaire. Elle commence à 4 heures du matin, et les journées ne sont jamais trop longues pour l'ouvrage. Au réveil, il faut lutter contre la fatigue et les courbatures, pour reprendre la chaîne. L'aurore insiste alors, presque agressive, talonnant un remords. A nous deux, mon Dieu... et mon ouvrage !

La principale fonction quotidienne de la fermière est alimentaire[18]. Trois repas : le « déjeuner » du matin — bien nommé, parce qu'il rompt le jeûne de la nuit — consiste en une soupe, avec distribution de casse-croûte, que les ouvriers emportent dans les champs[19]. Le dîner de midi pèse lourd, l'été, quand il faut le porter aux moissonneurs[20]. Le souper appelle plus de cuisine, mais toujours la même chose : des potées de légumes au lard[21].

La fermière est maîtresse et servante. Elle paie de sa personne plus que toute autre. Elle ne

Le pigeonnier aux 1 121 cases et sa charpente.

mange pas à la table des hommes, mais au coin de la cheminée[22]. Elle n'intervient pas dans la conversation. Catherine a été formée dans un univers hiérarchique, à l'école du respect et du silence, mais aussi à de lentes délibérations pour faire aboutir ses projets et rendre possible l'impossible, là où c'est nécessaire.

Le soin des bêtes rythme les journées. La traite des vaches, matin et soir, est un dur travail pour les mains et parfois, plus encore, pour le dos courbé. Catherine distribue le fourrage et conduit le troupeau à l'abreuvoir communal. Elle verse aux cochons la soupe engraissée de tous les restes et rebuts. Elle déniche les œufs au poulailler.

Toute la journée, elle va et vient au puits, heureusement pas trop distant, tirer l'eau, qu'on ménage[23].

Durant les longues soirées d'hiver, les petits travaux se prolongent sans relâche[24]. La veillée se fait tantôt chez l'un, tantôt chez l'autre, à la lueur des chandelles, devant le feu de cheminée : souvent chez les Labouré, qui ont une grande salle et un fournil[25]. C'est là qu'on se réfugie, quand il gèle à pierre fendre. Le fond de l'air y reste chaud d'une chaleur dense, soutenue de toute l'épaisseur des briques rouges.

La rencontre économise le bois et fournit un temps pour l'échange : nouvelles, souvenirs, contes effrayants ou enchanteurs. La prière qui clôt la soirée porte plus loin la communication : tout un espace de liberté, programmé de l'intérieur par le rite et la tradition.

La semaine

Dans le tissu de ces journées, il faut caser des activités périodiques :

Chaque semaine, Catherine pétrit la farine avec le levain et chauffe le four. Il y faut sept ou huit fagots. Quand la chaleur a bien pénétré la pierre,

Catherine enlève cendre et charbon de bois avec la raclette, recueille les braises dans les étouffoirs, puis elle saisit les longues pelles de bois pour enfourner en bon ordre sept ou huit grosses miches de pâte blanche et molle. Alors, il faut attendre... en faisant un autre ouvrage. Et au bout d'une grande heure, elle les retire, gonflées, brûlantes, sous la croûte dure et brune. Quelle crainte, les premières fois, que le miracle ne se réalise pas[26] !

Le jeudi, c'est le marché à Montbard (15 km)[27].

Chaque semaine également, il faut faire la petite lessive : routine et banalité.

L'année à Fain

La grande lessive, c'est autre chose, deux ou trois fois par an : celle du gros linge que l'on conserve, de génération en génération, car il s'use peu, avec cette rotation lente. C'est un événement. Des coffres, on sort de vraies montagnes de draps. Les voisins viennent donner le coup de main. C'est la fête, une rude fête ! Au fond de l'énorme cuvier, Catherine dispose des javelles, procurées par la taille des vignes. Elle les recouvre d'un drap, dépose sur ce drap, une couche de cendre de bois (attention que ne s'y mêlent pas des coquilles d'œufs, qui tachent !). Elle recouvre la cendre d'un autre drap, et pose là-dessus le linge qui trempait dans l'eau froide, depuis la veille. Alors, l'opération commence. La grande bassine est là sur le feu, bouillante à gros bouillons. Avec des pichets, elle verse sur le linge l'eau fumante qui pénètre la masse. Puis, inlassablement, elle reprend par en dessous, cette eau qui a lentement filtré, et la verse par le haut. La lessive ainsi se concentre. Mais il ne faut pas aller trop loin car le « lessu » finirait par attaquer les mains et le linge lui-même. Catherine apprend que le mieux est parfois l'ennemi du bien. Lorsque la

cendre a fait son œuvre, la lessive est portée en
brouette au lavoir communal, — en face de la
maison, en contrebas. Les lavandières y descendent par plusieurs marches. A genoux dans la
caisse, elles rincent et frappent le linge avec le
battoir, tout en guettant le temps et le vent qui
vont permettre un séchage plus ou moins rapide,
avant repassage et empilage dans les armoires, à
nouveau pleines de draps immaculés, et parfumés
d'oignons d'iris ou de lavande[29].

Chaque année, à l'entrée de l'hiver, on tue le
cochon. Dans une grande ferme comme celle-ci,
on en tue même deux, en réitérant au besoin à
mardi-gras. On a engraissé l'animal jusqu'au poids
de 300 livres environ. C'est une autre fête, plus
joyeuse que la lessive : une débauche de boudins,
de grillades, de rillettes, car il faut manger ou
offrir très vite ce qui est périssable. Les habitants
de la ferme, et ceux qui sont venus aider, peuvent
consommer, en ces jours-là, douze ou treize plats
de viande. Les estomacs solides compensent ainsi
l'arriéré de carence en protéines. Cela s'arrose. Et
bien que les Labouré n'aient pas de vigne, il se
trouve — ou il arrive toujours — quelques bouteilles et beaucoup de bonne humeur.

L'important, c'est ce qu'on ne mange pas ce
jour là : jambon et lard[30] sont salés aussitôt. Ils
fourniront, pour le reste de l'année, la nourriture
carnée, car la viande est une rareté. C'est seulement, sous Napoléon III, que l'Auxois s'est transformé en pays d'élevage pour la boucherie.

La viande de bœuf survient parfois, en débauche, mais par calamité : quand une vache est acci-
dentée ou vieille. On la partage avec les voisins, à
charge de revanche[31]. Les pertes deviennent ainsi
des fêtes par nécessité que rien ne se perde. La
calamité tourne en abondance et en partage.

Catherine assume ainsi des rites, recettes et tra-
ditions innombrables, qu'elle réalise mieux d'année
en année. Il faut jouer serré avec les bêtes (la
vache qui ne veut pas donner son lait parce qu'on

lui a enlevé son veau), avec les gens (ces dames de
la ville qui marchandent à outrance le beurre et
les œufs), avec le temps, aussi. C'est un temps
ouvert sur l'éternité, à travers l'éternel retour
ascendant du cycle des fêtes[32].

Chaque année, Catherine réalise mieux le cycle
liturgique : de l'Avent à Pâques, et à l'interminable série des dimanches verts après la Pentecôte :
la période des grands travaux. Au déclin de
l'année, le 2 novembre, le curé vient à l'église, où
tout le village est rassemblé. Il multiplie les absoutes pour les morts, à longueur d'après-midi. C'est
interminable, mais chaque famille veut la sienne.
Les journées se font courtes. On entre dans la
nuit comme dans le sein maternel. On rêve, on
parle, on dort longuement. La mort est de saison.
Elle entre alors dans le cycle de la vie.

Le secret de Catherine

Catherine sait défendre son domaine, et donner
à chacun ce qu'il lui faut, selon son rang et ses
besoins : à commencer par le père, et le petit frère
malingre, objet de ses soins les plus attentifs[33].
Les deux mieux servis, c'est Pierre parce qu'il est
le maître, et Auguste, parce que sa misère crie
vers le ciel. Après eux, les frères, sœurs et domestiques. Elle, en dernier.

Catherine ne gémit pas sur ses erreurs de débutante, mais les répare sans bruit et tire la leçon de
chaque chose. C'est son école, à elle qui ne va
pas à l'école. Qui lui a donné de dominer ainsi, à
12 ans, cette tâche écrasante ? Sa vie est remplie,
des premières lueurs de l'aube, où elle ranime le
feu, jusqu'au soir, où la dernière flambée avive la
pénombre pour terminer le gros ouvrage : celui
qu'on peut faire sans y voir trop clair ; non plus
la couture, mais la vaisselle et les rangements.
Catherine a de l'ordre.

Elle s'en tire si bien que la domestique devient
superflue. Et puis, l'interférence d'une adulte, qui

n'accepte pas facilement l'autorité d'une « jeunesse », apporte plus de souci que d'aide. Le repos, c'est quand l'ouvrage avance et qu'on s'y retrouve, avec Tonine active et complice. A 14 ans, Catherine se sépare de la servante, à la première occasion, et tient son pari : ça tourne plus rond qu'avant[34].

Est-ce l'amour de la terre qui la tient ? Oui, elle aime la terre nourricière, l'aube qui l'éveille chaque matin, et la tâche qui remplit sa vie, après le vide de l'exil à Saint-Rémy. Mais ce n'est là que la surface.

Serait-ce l'appât du gain : la passion paysanne d'acquérir, coûte que coûte, à l'économie ? Catherine négocie ingénieusement ses tâches entremêlées. A défaut, ce serait la ruine : ce dont les gens de la ville n'ont pas idée. Il faut éponger les imprévus : maladies des bêtes et des plantes, intempéries, accidents. Mais Catherine aime les gens et les choses, plus que le nécessaire argent. Elle sait que sa petite gestion intérieure en circuit fermé, n'est qu'un élément de l'économie domestique, dont l'essentiel est aux mains du père.

Le secret de Catherine est caché dans ses échappées hors de la ferme. Elle disparaît, un bon moment, chaque jour. Ce n'est pas pour voir un galant. Son amour se cache dans l'église de Fain, près de la ferme, de l'autre côté de la rue, un peu plus haut : une église sans prêtre, car le clergé a fondu pendant la Révolution. Fain relève d'un desservant qui va de lieu en lieu, célébrer mariages et enterrements, rarement la messe du dimanche[35]. Ces dimanches-là, Catherine et sa famille occupent un banc spécial, dans la chapelle de la Vierge, dite chapelle des Labouré, car c'est la famille qui l'a fait restaurer[36].

Ce n'est pas cet honneur du banc de marguillier qui attire Catherine à l'église. Elle s'y rend seule, en semaine, et prie longuement sur les dalles froides[37]. C'est là, dit-on, qu'elle aurait contracté son arthrose[38]. Cette prière donne un sens à tout le reste.

— *Les prières n'avancent pas l'ouvrage,* disent les voisines[39].

Pourtant, l'ouvrage est fait. Catherine est vaillante et de bonne santé. Ce temps n'est pas l'essentiel, pour elle, mais cela vient par surcroît.

— *Du temps perdu !* cancane-t-on parfois au village, où la piété de Catherine ne rehausse pas sa réputation.

Elle ne s'en soucie guère. Le temps de Catherine n'est pas celui de ses voisines, enlisées dans le quotidien. Elle vit la tâche de chaque jour, mais dans une autre durée, qui donne sens aux recommencements indéfinis, aux personnes que l'on côtoie, et qu'il vaut mieux... rencontrer : un sens qui ne passera pas.

Catherine habite avec Dieu, dans la foi et dans l'amour ; dans la communion des saints, aussi, en vaillante concitoyenne. A Saint-Rémy, sa tante lui a fait connaître la statue de sa patronne : sainte Catherine d'Alexandrie, remplie de sagesse et de lumière, forte contre les persécuteurs[40] Zoé-Catherine est familière avec les protecteurs dont les silhouettes rassurantes ornent les murs de l'église, à Fain comme à Saint-Rémy[41]. Mais, plus encore, avec la Vierge Marie. Elle la trouve chaque fois qu'elle va à l'église de Fain : d'abord au-dessus du porche, l'enfant dans ses bras[42], puis à l'intérieur, les mains tendues dans un geste d'accueil[43].

Le tabernacle est vide[44], dans cette église sans prêtre, mais la présence du Seigneur imprègne sa maison, elle se révèle au fond du cœur. C'est un bonheur pour Catherine. Elle éprouve le besoin de s'y replonger. C'est là qu'elle trouve la force de faire bon visage et bon service. Là est son rêve d'avenir, que Tonine a deviné très tôt. La petite sœur a bien perçu que Catherine devenait « toute mystique », comme elle dit, « dès sa première communion »[45] : sans doute au sens où son compatriote saint Bernard était : « *mire contemplativus »,* étonnamment contemplatif, selon ses premiers biographes[46].

Le fleuve de la prière, apparemment tari par la Révolution, reprend en Catherine, comme chez d'autres contemporains qu'elle ignore : Jean-Marie Vianney, Jeanne Jugan, Jeanne-Antide Thouret, Mère Javouhey, Madeleine-Sophie Barat, etc. La prière rejaillit en elle de bonne source, irrésistiblement. Elle reste longuement à l'église de Fain, dont le vide tragique intensifie le silence et un appel.

C'est là une expérience forte, et cette illettrée trouvera un style vigoureux pour l'exprimer (quand elle saura écrire).

> La grande religion qu'il y a dans le pays ! Une messe le dimanche, et encore il faut que le curé d'un pays voisin bine pour pouvoir la dire. Les vêpres sont chantées par le maître d'école, sans bénédiction par conséquent. Pour aller se confesser, il faut aller chercher. Voyez si le peu de religion que l'on a est bien en sûreté[47] ?
>
> *Lettre à Marie-Louise (15 septembre 1844)*

A défaut de retrouver le Seigneur dans l'Eucharistie, elle le retrouve dans son cœur de baptisée, et, plus spécialement, dans les pauvres qu'elle accueille, les malades qu'elle visite : un autre attrait qui est monté de sa vie, austère et lumineux.

Pour la messe du dimanche[48], c'est à Moutiers qu'elle se rend le plus souvent, car le desservant vient rarement à Fain. Tonine l'accompagne. Mais pour Catherine, cela ne suffit pas ; parfois, elle retourne à la messe en semaine[49], à Moutiers également : une bonne lieue dans chaque sens. La route monte sur plus d'un kilomètre, puis redescend à forte pente. Catherine aperçoit alors, sur sa gauche, le clocher de l'église. Une grande joie la saisit : la joie de la rencontre. Au retour, elle se sent forte pour remonter la pente vers son tra-

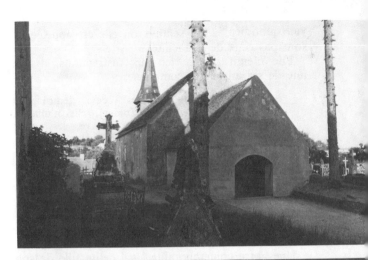

Église de Fain, où Marie accueillait Catherine.

vail quotidien[50]. Les sentiers où elle est appelée ne sont pas ceux de la facilité.

Elle n'était pas portée aux distractions, assure une de ses anciennes compagnes :

> Qu'elles étaient pieuses, ces demoiselles [Labouré : Catherine et Tonine], elle n'allaient pas prendre les divertissements avec les autres jeunes filles[51], témoigne un vieille de 88 ans, sa contemporaine.

Prématurément absorbée par les responsabilités, mûrie avant terme par les rudes tâches de la ferme, Catherine n'était pas très « joueuse »[52]. Mais il y aurait outrance hagiographique à exagérer ce que son neveu Philippe Meugniot appelle son « caractère sérieux, modeste et grave »[53].

Une autre contemporaine — « petite fille de son âge », dont le nom n'a pas été conservé — témoigne qu'elle s'amusait, quand les parents la conduisaient à la fête de Cormarin chez des cousins et cousines[54].

La Saint-Robert

Voici le souvenir d'une petite fille de Cormarin, un peu auréolé par ses 80 ans passés de 1896.

> Catherine n'était pas jolie, mais elle était gentille et bonne, toujours aimable et douce avec ses compagnes, même lorsque celles-ci la taquinaient comme font les enfants. Et si elle en voyait qui étaient fâchées ensemble, elle cherchait à mettre la paix. Si un pauvre se présentait, elle lui donnait des friandises qu'elle pouvait avoir [...]. A la messe patronale, Catherine Labouré priait comme un ange [...], et ne tournait pas la tête à droite ni à gauche[57].

Le jeûne qui nourrit

A 14 ans, elle commence à jeûner, le vendredi et le samedi, durant toute l'année[58]. Tonine s'en aperçoit. Elle craint que cela ne lui fasse mal. Elle essaie de l'en dissuader. En vain. Elle menace d'en avertir le père. Catherine ne se laisse pas impressionner :

— *Eh bien, dis-le !*

Tonine, provoquée, met la menace à exécution. Le père lui donne raison. Mais Catherine a pris sa décision. Ce jeûne, c'est une affaire entre Dieu et elle. Elle y trouve sa force. Cela ne regarde personne, pas même le père, du moment que l'ouvrage est fait... Elle continue.

Elle est sans rancune. Le père, c'est le père ; Dieu, c'est Dieu. Ce différend n'a même pas troublé ses bonnes relations avec Tonine, dont l'aide est vaillante et avisée.

Vocation

Vers la même date, Catherine lui confie — à elle seule — son projet de vie : une vocation[59], mais elle ne sait ni où ni comment. Ce n'est pas « pour faire comme Marie-Louise », c'est un projet intime, entre elle et Dieu[60]. Tonine comprend. Elle soutient sa sœur et l'aidera dans cette voie.

Cela reste un secret entre elles, car le père a réglé son compte avec le Bon Dieu, de ce côté-là. Il n'a pas récriminé au départ de Marie-Louise, pourtant bien nécessaire pour la ferme. Il a donné la fille et la dot. C'est bien, mais cela suffit[61].

Un songe

Et voici qu'une nuit, cet appel prend forme d'un rêve. Catherine se trouve à l'église de Fain, à sa place habituelle, dans la chapelle des Labouré. Elle prie. Et voici qu'un vieux prêtre arrive. Il revêt les ornements sacerdotaux et célèbre la messe sur l'autel blanc aux moulures d'or. Ce qui la frappe, c'est son regard, lorsqu'il se retourne pour le *Dominus vobiscum*. A l'*Ite missa est,* il lui fait signe d'approcher. La crainte la saisit. Elle s'éloigne, mais à reculons, fascinée. Elle ne peut se détacher de ce regard. Elle s'en souviendra toute sa vie. A la sortie de l'église, elle va rendre visite à une malade (toujours en rêve). Le vieux prêtre l'y retrouve et lui dit :

— *Ma fille, c'est bien de soigner les malades. Vous me fuyez maintenant, mais un jour vous serez heureuse de venir à moi. Dieu a ses desseins sur vous. Ne l'oubliez pas !*

Elle s'éloigne à nouveau, toujours craintive, mais elle a chaud dans le cœur. « Ses pieds ne touchent plus la terre ». En passant le porche de la maison paternelle, elle s'éveille[65].

Ce n'était qu'un songe[66]. Mais c'est un élan nouveau pour Catherine. Son royaume — la salle de ferme — est devenu un lieu provisoire, sinon un exil. Elle fait l'ouvrage, encore mieux qu'avant, mais comme ne le faisant pas. Sa vie réelle domine le quotidien, qu'elle a déjà quitté en esprit. Elle réfléchit. Elle ébauche des projets. Pour entrer chez des Sœurs, il faudrait au moins savoir lire et écrire[67] : c'est une condition pour être admise, lui a-t-on dit. Et puis, son manque d'instruction l'humilie.

A seule fin de masquer son ignorance, elle paie alors 30 francs or — ses économies — à un beau parleur qui s'est fait fort de lui apprendre à signer son nom[68]. Mais cela ne suffit pas.. Il est temps d'apprendre à lire, à écrire, à tenir des comptes : sur le papier, et pas seulement dans sa tête, quoiqu'une tête de paysanne, et ses dix doigts comme repères, constituent un fameux ordinateur[69].

Premier séjour à Châtillon (1824-1826)

Elle a 18 ans. Et voici qu'Antoinette Gontard, une cousine germaine par sa mère, propose de la prendre, pour l'instruire, à Châtillon. Elle y tient un pensionnat réputé[70].

Tonine a 16 ans. Elle est assez solide pour assumer la maison, et toujours complice. Le père est plein de réticences. La sagesse et la ferveur de sa fille l'inquiètent. Il craint de la perdre[71]. Mais il n'est pas fier de l'ignorance de ses derniers enfants, alors que les premiers étaient partis dans la vie avec un si joli bagage[72]. Ainsi, Catherine obtient-elle ce qu'elle veut.

A Châtillon[73], elle est heureuse d'avoir la messe toute proche : une église, avec le Saint-Sacrement, et un prêtre à disposition. C'est l'abbé Gailhac, curé doyen, un octogénaire (1743-1828)[74]. Elle ose lui confier son rêve. Le prêtre connaît bien les Filles de la Charité. Il est frappé par la description du vieillard : la barbe, la calotte noire, et le service des pauvres :

— *Je crois, ma fille, que ce prêtre n'est autre que saint Vincent.*

Peu après, Catherine va chez les Sœurs, rue de la Juiverie, sous la conduite de sa cousine. Au parloir, surprise ! Le portrait qui est là, c'est le prêtre vu en songe,

— *Mais c'est notre père saint Vincent de Paul !* lui expliquent les Sœurs[75].

Comment n'avait-elle jamais vu le portrait authentique conservé par les Sœurs de Moutiers ? s'est-on demandé. C'est que ce tableau, plein de

La maison des Sœurs et le vieillard du Songe : Monsieur Vincent.

vie, attribué à François de Tours, se trouvait alors dans une salle de communauté réservée aux Sœurs[76].

La décision de Catherine est maintenant fixée. Mais que faire ? L'entrée au postulat exigerait le consentement du père, et il n'en est pas question[77]. Attendre ? Mais la hâte de Catherine est grande, et sa majorité, encore loin : deux ans et demi ! Cela paraît une éternité, à cet âge, et pour l'élan d'un tel désir.

Et puis, Catherine est mal à l'aise chez sa cousine. A 18 ans, elle est au niveau scolaire des « petites », et ses mœurs de fermière détonnent avec celles de ces demoiselles. La cousine et les compagnes l'invitent aimablement à imiter leurs bonnes manières. Mais ces toilettes à ruban et ce raffinement ne l'attirent point, et la condescendance des compagnes blesse sa fierté, parfois même sa droiture et sa simplicité[78].

Drame

Impasse pour impasse, elle préfère celle qui est franche et dure : rentrer chez elle. Le séjour à Châtillon a été relativement bref[79].

Il n'a pas été perdu. De retour à Fain, Catherine peut signer, d'une main ferme, le 16 juillet 1826, au baptême de sa filleule : Catherine Zoé Suriot[80]. C'est sans doute en cette circonstance qu'elle étrenne la robe de soie violette qui fera partie de son « trousseau ». Le père la lui a fait faire, puisqu'elle est maintenant en âge de se marier. Un coup de foudre arrangerait tout. En attendant, c'est la vie de la ferme : « veaux, vaches, cochons, couvées ». Catherine ne boude pas l'ouvrage, imperturbable et silencieuse, mais n'en pense pas moins. Sa vocation la presse.

Tout va bien du côté de Tonine, qui a vaillamment assumé sa tâche de fermière. Mais, du côté du père, le ciel est noir, et ce serait folie de faire éclater l'orage avant de tenir son bon droit. Catherine attend patiemment sa majorité.

Et voici le 2 mai 1827. Elle a 21 ans. Elle déclare sa décision[81]. Son père refuse avec éclat[82]. Il a déjà donné une fille à Dieu. Il a toujours dit qu'il n'en donnerait pas deux. Et puis, Catherine est utile, elle est normale, elle est gaie, elle ne boude pas les fêtes des villages environnants : Senailly, Cormarin[83]. Elle est demandée en mariage[84]. Elle finira bien par se laisser tenter par un beau gars ou un beau parti ! Il s'en présente, hélas pour Pierre Labouré, Catherine sait ce qu'elle veut... et ce que Dieu veut pour elle.

L'exil à Paris
(1828-1829)

Au printemps 1828, le père change de dissuasion. Son fils, Charles, le numéro 5, a établi, à Paris, un commerce de vins et bouchons, rue de l'Échiquier. Sa femme y tenait aussi un restaurant pour une compagnie d'ouvriers. Mais la voilà qui vient de mourir, deux ans après le mariage, le 21 février 1828. Charles souhaite de l'aide. Eh bien, Catherine ira l'aider. La Capitale éveille les filles. Et ce restaurant la fera courtiser.

Pour elle, cette décision, c'est blessure sur blessure. Après le refus de sa vocation, c'est le renvoi par le père, la rupture de liens qui représentaient beaucoup pour elle. Seuls le devoir et son savoir-faire la tiennent à ce travail nouveau, près du frère veuf, qui commence à se consoler[85]. Il est satisfait de sa sœur et voudrait la garder « pour le gouvernement de sa maison ». Il cherche à la marier sur place[86], mais l'approche des soupirants, pour qui cette Bourguignonne de 22 ans n'est point sans attrait, les gais propos et tentatives du restaurant, lui sont étrangers. Les distractions du Faubourg, et la réussite même de sa cuisine près des clients, la trouvent inébranlable.

Charles ne s'entête pas. Et l'occasion vient à

point pour libérer Catherine : il se remarie, le 3 février 1829[87]. Deux femmes dans une maison, ce serait une de trop.

Catherine saisit donc l'occasion. Elle écrit à sa belle-sœur de Châtillon[88], très émue de son épreuve, et puis à Marie-Louise, qui vient d'être nommée, l'an dernier, Sœur Servante, c'est-à-dire responsable des Filles de la Charité à Castelsarrasin (Tarn-et-Garonne)[89]. La réponse est débordante de bonheur et de flamme :

> Qu'est-ce qu'être Fille de la Charité ? C'est se donner à Dieu, sans réserve, pour servir dans les pauvres, ses membres souffrants [...]. Si, en ce moment, une personne était assez puissante pour m'offrir de posséder, non un royaume, mais tout l'univers, je regarderais cela comme la poussière de mes souliers, étant bien convaincue que je ne trouverais pas, dans la possession de l'univers, le bonheur et le contentement que j'éprouve dans ma vocation[90]...

Elle arrête cet élan, sur un scrupule :

Le restaurant Labouré : une des écoles de Catherine...

> Je désire bien que tu passes quelque temps, comme te l'a proposé notre chère belle-sœur, chez elle, afin de te faire prendre un peu d'éducation, ce qui est très nécessaire, en quelqu'occasion que l'on puisse être. Tu apprendras à parler français un peu mieux qu'on ne fait dans notre village, tu t'appliqueras à l'écriture, au calcul, et surtout à la piété, à la ferveur, et à l'amour des pauvres[92].
>
> Il n'est pas dans notre usage d'engager personne à entrer dans notre Communauté.

Mais elle se pardonne bien vite cette « faiblesse », et termine en redisant son désir que Catherine soit du nombre de celles qui seraient appelées un jour...

> Mieux vaut servir le bon Dieu que le monde[91]...

Marie-Louise recevra plus tard cette lettre en boomerang, dans des circonstances que nous retrouverons plus loin (24 avril 1834). Pour le moment, elle conseille le retour à Châtillon :

Marie-Louise Labouré (1795-1877) : la conseillère que Catherine devra bientôt conseiller.

Second séjour à Châtillon[93]

La grande maison de la cousine, au pied de la colline Saint-Vorles, a changé depuis le premier séjour : le 15 décembre 1828, Jeanne-Antoinette Gontard est devenue la belle-sœur de Catherine, en épousant son frère aîné, Hubert, sous-lieutenant de gendarmerie, après avoir été garde du corps de Charles X à Paris, en 1824.

Les jeunes mariés sont de bons avocats auprès du père, peu fier de la situation sans issue où il s'était enfoncé par dépit.

Il saisit l'occasion d'un compromis honorable.

Catherine retrouve donc ce pensionnat qui ne l'enchante guère, mais elle fréquente de plus en plus les Filles de la Charité. Cette fois, elle y a trouvé une nouvelle : Sœur Victoire Séjole, saisie d'emblée d'une sympathie discrètement admirative qui lui fera redire, tout au long de sa vie, chaque fois qu'elle reparlera de Catherine :

En 1829, Catherine retrouve la Seine et l'église Saint-Vorles.

fille fera ce que bon lui plaît, mais, foi de Labouré ! il ne donnera pas une deuxième dot.

Qu'à cela ne tienne, le frère et la belle-sœur y pourvoiront. Ils sont à l'aise, gagnant tous deux : lui comme Oficier, elle comme directrice d'un pensionnat de bonne renommée.

Le postulat

Au début de janvier 1830, Sœur Cany envoie son avis favorable à la Maison-Mère, où le Conseil des Filles de Charité l'adopte en ces termes, à la date du 14 janvier :

> Ma Sœur Cany propose Mademoiselle Labouré, sœur de celle qui est Supérieure à Castelsarrasin. Elle a 23 ans, et convient très bien pour notre état : une bonne dévotion, un bon caractère, un fort tempérament, l'amour du travail, et fort gaie. Elle communie régulièrement tous les huit jours. Sa famille est intacte, pour les mœurs et la probité, mais peu fortunée : on presse beaucoup pour la recevoir.

« *On* », c'est au premier plan Sœur Séjole. Et l'allusion à la famille « peu fortunée » veut préparer l'acceptation d'une dot un peu mince, selon l'usage d'alors.

Le 22 janvier, la réponse arrive de Paris. Elle est favorable. Catherine fait joyeusement ses

— *Jamais je n'ai connu une âme aussi candide et aussi pure*[94].

Catherine et Sœur Victoire ont bien des affinités : deux paysannes de bonne souche, proches par l'âge, 22 et 27 ans, précédées chacune par une sœur aînée chez les Filles de la Charité. Et surtout, elles aiment beaucoup, l'une comme l'autre, la Sainte Vierge et les pauvres. Sœur Victoire comprend le malaise de cette paysanne, dans les raffinements du pensionnat. Elle insiste auprès de Sœur Cany, supérieure depuis 1814 :

— *Recevez-là, elle est toute candeur et piété. Elle n'est pas à sa place parmi ces bas-bleus. C'est une bonne fille de village, comme saint Vincent les aime*[95].

Voilà Sœur Cany convaincue. Les tractations commencent. Catherine a reçu la nouvelle avec joie. Mais elle ne veut pas entrer sans dot, sachant que c'est alors l'usage. Elle prend sur elle d'en parler, en confiance à son frère et sa belle-sœur. Là-dessus, Pierre Labouré est inflexible. Sa

Le rêve de Catherine : continuer le service évangélique de Monsieur Vincent.

adieux, aux pensionnaires amicales mais trop raffi-
nées. Elle franchit avec joie les grilles de la rue de
la Juiverie.

Sœur Séjole se fait une joie de la former aux
prières et à la vie de communauté.

Elle l'initie à la « marmite des pauvres malades ». Cette œuvre avait été supprimée, au début
de la Révolution, comme affaire de « ci-devant ».
Mais il avait fallu bien vite la rétablir, car elle
répondait à des nécessités urgentes. Catherine
apprend à connaître ainsi la misère et le service,
dans ses dimensions massives : Deux fois par
semaine, le dimanche et le jeudi, vers 1 heure de
l'après-midi, une immense potée de bouillon est
préparée dans la chaudière fumante, et les pauvres
affluent, munis, qui d'un « poêlon », qui d'une
casserole ou d'un autre récipient, dans lequel ils
emportent de la soupe aux malades[96].

Mariette, vieille employée de la maison, admire
la prière de Catherine : chaque jour, elle se rend à
la chapelle, à 3 heures, et récite l'acte prescrit par
la règle :

> Je vous adore, mon sauveur Jésus Christ, expi-
> rant sur la croix pour mon amour. Je vous
> remercie de ce que vous êtes mort pour me
> racheter. Père Éternel, [...] recevez son divin
> sacrifice [...]. C'est la mort d'un Dieu, c'est Dieu
> même que je vous offre. (MISERMONT, *Vie,* p. 50-
> 51).

La « mort d'un Dieu ». Ces mots prenaient une
étrange résonance au lendemain de tant d'attentats
contre Dieu et ses ministres.

Dès le début de son postulat, Catherine reçut de
sa grande sœur, toujours Sœur Servante à Castelsarrasin, une lettre postée le 22 janvier 1830.
Marie-Louise « très édifiée de la dernière » lettre
de Catherine, qu'elle ne nous a malheureusement
pas conservée, l'exhorte avec un enthousiasme sou-
tenu[97].

Le départ

A la mi-avril, l'épreuve du postulat est terminée[98]. Catherine s'en est bien tirée.

C'est l'heure du trousseau. On l'empile dans la malle :
- 4 paires de draps mi-usés,
- 12 serviettes mi-usées,
- de la toile pour chemises et,
- 11 [chemises] de faites,
- 5 robes : 4 d'indienne et 1 de soie violette,

. . . .
- 11 mouchoirs de poche,
- 3 paires de poches [ce qui tenait alors lieu de sac à main],

Catherine emporte également la dot offerte par Hubert et la belle-sœur : 693 francs[100]. Ils sont là au relais de la diligence. Le lourd véhicule sort de la ville glorieusement par « la porte de Paris », en forme d'arc de triomphe. Sœur Hinault (70 ans)[101], longtemps Sœur Servante à Châtillon, accompagne Catherine : elle rejoint la Communauté des anciennes, rue du Bac.

Longue route de 300 km : près de 100 lieues, comme on dit alors. La campagne éclate de verdure neuve et de fleurs. C'est la lumière et la germination de Pâques[102].

Le séminaire

1. L'ARRIVÉE

21 avril 1830, mercredi[1].

Les sabots des chevaux claquent sur les pavés de Paris, entraînant le sourd bruit des roues ferrées, comme une sorte de tonnerre, lointain et proche.

Pour Catherine, la Capitale n'est pas une découverte. Mais quelle différence avec la première fois ! Il y a 2 ans, c'était la contrainte, l'exil : loin du père qui la rejetait, loin du rêve qu'avait allumé en elle Monsieur Vincent. Et voici le père réconcilié, la maison de Monsieur Vincent ouverte ! Les obstacles se sont écroulés comme murailles de Jéricho. Saturée de chaos, Catherine savoure, malgré la fatigue, la victoire promise à la foi qui transporte les montagnes.

Paris, ce ne sera plus le restaurant[2], les bouteilles, les grasses plaisanteries des ouvriers, ce sera la prière, le silence, le service des pauvres et des malades. Le rêve devient réalité.

On a dit à Catherine que la formation serait dure. Mais elle est prête à tout. Rien ne lui pèse, maintenant que c'est selon son cœur.

Voici le terminus de la diligence, le remue-ménage des chevaux hennissants et des cochers. Des Sœurs de la Maison-Mère sont là, habillées comme celles de Châtillon : même famille, même chaleur. Les deux voyageuses, l'ancienne et la jeune, reçoivent un même accueil.

Diligence en Bourgogne au XIXe siècle.

Découverte de la rue du Bac[3]

Une voiture les embarque avec bagages et trousseau. Les roues résonnent sous le porche du 132, rue du Bac, puis, une cinquantaine de mètres plus loin, sous un deuxième porche, et s'arrêtent dans la cour rectangulaire. A droite, le bâtiment de l'horloge. A gauche, le séminaire avec la cloche qui convoquera Catherine aux exercices.

Catherine est conduite de ce côté : l'Hôtel de Châtillon, étrange demeure pour un noviciat. La maison avait été conçue au XVIIe siècle, pour le prestige ostentatoire de la famille de La Vallière : les fenêtres sont d'une hauteur démesurée. Du côté opposé à la cour d'arrivée — celui du jardin — un double escalier de pierre à somptueuses balustrades de fer forgé conduit au perron du premier étage : celui de la Supérieure Générale. Les Sœurs du Séminaire sont en dessous, au rez-de-chaussée en contrebas, qui fait figure de sous-sol. Elles sont à l'étroit, étant 112[4], pour les exercices et les repas. La nuit, elles montent dans les dortoirs au deuxième étage mansardé, qui communique par les combles, avec la chapelle, alors plus basse qu'aujourd'hui. Là aussi, c'est un entassement chaleureux.

Catherine change son costume de paysanne : cannette et double jupon, pour la coiffe et le fichu des Sœurs du Séminaire. Ici, le costume n'a pas d'importance. Monsieur Vincent avait voulu que les Sœurs aient celui de tout le monde : pas du beau monde, mais du peuple. Par la force des choses, l'habit a évolué dans le sens d'un costume religieux. Catherine peut même s'étonner de différences, qui n'existaient pas à Châtillon : couleur et qualité du tissu varient d'une Sœur à l'autre. Certaines paraissent des dames par les bas et souliers. Elles se taillent des cornettes démesurées. Elles portent des « collets » et « ourlets » généreux, des garnitures de ruban, jusqu'à du drap de castor et des tabliers de mérinos, tandis que d'autres Sœurs ont gardé leur air de femmes du peuple, plus pro-

L'hôtel de la Vallière : où Catherine fit son séminaire. C'est de ce perron que Jean-Paul II a parlé.

che des intentions de Monsieur Vincent[6]. C'est le résultat d'un relâchement contre lequel on lutte vainement en ce temps de « Restauration ». Ce mot sonne comme une mollesse et une facilité : le retour nostalgique à un passé tari. Mais la flamme est au cœur de Catherine. Elle regarde tout à neuf, comme la terre promise. Elle ne s'arrête pas encore aux défaillances.

La jeune fermière qui devait disputer les temps de prière à une existence talonnante et sans loisir, goûte maintenant les vacances de l'esprit et du cœur, puisque Dieu et la prière ont ici la première place.

Au débarqué, une nouvelle vient au rendez-vous de l'espérance : dimanche prochain, les reliques de Monsieur Vincent vont être solennellement transférées de Notre-Dame à Saint-Lazare. L'archevêque les a rendues aux Lazaristes. Il présidera le cortège, et le Roi lui-même, personnage lointain et presque mythique, sera là. Le Séminaire participe à la procession. Monsieur Vincent renouvelle à Catherine son signe d'approcher. Et cette fois, elle ne fuit pas, fût-ce à reculons. Tout son être s'élance à ce rendez-vous : une fête où l'on attend une grande participation populaire.

2
LE TRANSFERT DES RELIQUES
DE MONSIEUR VINCENT[34]

Vincent de Paul avait traversé la Révolution sans éclipse. Son prestige de « père des pauvres » était si grand que des hymnes d'alors associent son nom avec ceux de Rousseau et Voltaire[35].

Mieux valait se prévaloir de son rayonnement humanitaire, et avoir de tels hommes avec soi que contre soi.

Cela n'avait pas empêché les deux Communautés par lui fondées d'être dissoutes et persécutées[36]. Mais le commissaire Delivry, chargé de déménager l'église des Lazaristes, leur avait abandonné le corps, conservé intact dans la châsse.

Le transfert solennel, qui va ramener chez lui le corps de Monsieur Vincent, commence le 24 avril, 3 jours après l'arrivée de Catherine[39].

Le lendemain, dimanche 25 avril, à 9 heures, le nonce Apostolique, Monseigneur Lambruschini célèbre la grand'messe pontificale, devant la châsse, posée sur une estrade : un lourd reliquaire d'argent, long de 7 pieds, réalisé par Odiot pour une somme de 40 000 francs or. Une foule immense entoure l'archevêque et 12 évêques.

L'après-midi, à 2 heures, tandis que les vêpres sont entonnées à Notre-Dame, le défilé commence.

La châsse est environnée par les Lazaristes et les chanoines du chapitre métropolitain. Suivent les aumôniers du Roi, les évêques, enfin l'archevêque, précédé de sa croix et de son porte-insigne, encadré d'assistants en chapes, et suivi de hauts fonctionnaires. Un peloton de gendarmes ferme la marche[43].

Mais il y a aussi des orphelins et des pauvres : ceux qui comptaient pour M. Vincent. Ils ne l'ont pas oublié. C'est la foule.

Le séminaire est là : une forêt de 112 petits bonnets blancs. Sous l'un d'eux, Catherine, heu-

reuse de faire cortège à l'homme de son rêve et de sa vocation. La foule grossit, « *avide de voir les restes si précieux du saint prêtre qui a rempli cette grande cité des monuments et des institutions que sa charité a créés pour le soulagement de l'infortune* », note solennellement le procès verbal officiel[45].

C'est seulement à 6 heures du soir que la procession atteint la rue de Sèvres.

Ainsi commença, sous les yeux de Catherine ce dimanche 25 avril, l'octave qui vit défiler grande foule, et le Roi Charles X lui-même[48], dans la chapelle des Lazaristes. Les Sœurs de la rue du Bac, toutes voisines (300 mètres), y viennent chaque jour. Parmi elles, notre jeune Sœur bourguignonne, qui fêtera ses 24 ans le dimanche 2 mai, jour octave de la Translation. Elle se sent légère comme un ballon captif dont on coupe les amarres.

C'est seulement 26 ans après cela, que Catherine rédigera son expérience, à la demande de son Directeur. Elle le fera dans un style objectif sans lyrisme, et sans orthographe. Elle la situe précisément dans le temps et dans cet espace nouveau où elle ne « tient plus à la terre »[49].

C'est un état second. Ce n'est pas un rêve. C'est sur les ailes d'un désir exigeant qu'elle accède à la vision :

Procession de la châsse de Monsieur Vincent (25 avril 1830).

> Je demandais à saint Vincent toutes les grâces
> qui m'étaient nécessaires, et aussi pour les deux
> familles, et la France entière. Il me semblait
> qu'elles en avaient le plus grand besoin.

Catherine songe aux menaces révolutionnaires
latentes, mais surtout à l'élan spirituel qui reprend
mal en ce début de siècle.

3
LES APPARITIONS
(AVRIL-DÉCEMBRE 1830)

Le cœur de Monsieur Vincent
(25 avril - 2 mai 1830)[50]

C'est de ce désir que l'événement surgit :

> Enfin, je priais Monsieur Vincent de m'enseigner
> ce qu'il fallait que je demande avec une foi vive.
> Et toutes les fois que je revenais de Saint-Lazare
> [où j'avais visité la châsse], j'avais tant de peine
> [qu'] il me semblait retrouver, à la Communauté,
> saint Vincent ou du moins son cœur... [Il]
> m'apparaissait toutes les fois que je revenais de
> Saint-Lazare. J'avais la douce consolation de le
> voir [dans la chapelle de la rue du Bac], au-
> dessus de la châsse, où les petites reliques de
> saint Vincent de Paul étaient exposées[51].

Le petit reliquaire était un coffret de métal
vitré, placé à gauche du maître-autel. La vision du
cœur se produisit au-dessus :

> Il m'apparut,
> trois fois différentes,
> trois jours de suite :
> blanc couleur de chair,
> qui annonçait la paix, le calme, l'innocence et
> l'union.
> Puis je l'ai vu rouge de feu :
> ce qui doit allumer la charité dans les cœurs.
> Il me semblait que toute la Communauté
> devait se renouveler

Apparition du cœur de Saint-Vincent (tableau de Lecerf, 1835).

et s'étendre jusqu'aux extrémités du monde.
Et puis je l'ai vu rouge noir,
ce qui me mettait la tristesse dans le cœur.
Il me venait des tristesses que j'avais de la peine
à surmonter. Je ne savais ni pourquoi, ni comment, cette tristesse se portait sur le changement
de gouvernement.

Tel est le récit autographe de Catherine. Ce que
sa mémoire a conservé, 26 ans après, ce sont 3
visions dont les couleurs signifient pour elle
l'*innocence, l'amour* et *l'épreuve.* Son confesseur
et Monsieur Etienne ont daté ces visions, par con-
fusion, en *juillet,* lors de la *fête* (et non de la
translation des reliques) de Monsieur Vincent. Ils
ont stylisé en diptyque : vision sombre en premier,
vision vermeille en dernier, à l'inverse de Catherine.
Selon leur interprétation, qui a circulé, dès
1833, 23 ans avant que Catherine rédige son récit,
la voyante n'a pas simplement perçu les symboles,
elle a reçu des paroles intérieures.

Pour la vision sombre :

Le cœur de saint Vincent est profondément
affligé à la vue des maux qui vont fondre sur la
France.

Pour la vision vermeille :

Saint Vincent est un peu consolé, car il a obtenu,
par l'intercession de la Très Sainte Vierge, qu'au
milieu de ces grands maux, ses deux familles ne
périraient pas[52].

Si nous lisons bien les récits de Catherine, ces
messages *explicites* ne lui ont été donnés que plus
tard : lors de l'apparition de Notre-Dame, dans la
nuit du 18 au 19 juillet, en la fête de Monsieur
Vincent. Ainsi s'explique qu'Etienne et Aladel
aient tu cette apparition-là, et situé, à cette date,
la vision du cœur de leur Fondateur. Les documents officiels ont synthétisé les prédictions progressivement reçues par Catherine, et diffusées en

confidence, qui ont si fort stimulé la renaissance des deux familles de Monsieur Vincent, avant d'être proclamées sous le généralat de Monsieur Etienne. Ces promesses ont tenu grande place, parce qu'elles n'ont cessé d'être confirmées par d'étonnantes protections, constatées dans les bouleversements du siècle : de la Révolution de juillet 1830 à la Commune de 1871.

Pour Catherine, l'important, c'est cette nouvelle rencontre avec Monsieur Vincent, qu'elle « retrouve», six ans après le songe de Fain, mais, cette fois bien éveillée.

Mais elle ne majore pas. Elle relativise le *signe* qu'il lui est donné de percevoir :

> Il me semblait retrouver *saint Vincent,* ou au *moins son cœur...*

Il ne s'agit pas du cœur de chair, qui n'était, ni dans la chapelle, ni dans la châsse de Saint-Lazare, car il avait été prélevé comme relique, et avait suivi une destinée indépendante. En 1790, Monsieur Cayla, Supérieur général, l'avait confié à son assistant italien, Monsieur Siccardi, qui l'avait transporté en le camouflant, dans un in-folio éventré, jusqu'à Turin. Après quelques aventures, la relique était revenue, à Lyon, à la demande impérative du Cardinal Fesch, le 1er janvier 1805[53]. De cette relique absente, Catherine ne sait rien. Mais elle insiste à juste titre, sur le caractère symbolique de l'apparition : ce n'est pas une pièce anatomique, mais une icône.

Les trois couleurs ne relèvent pas d'un coloriage pittoresque et gratuit. Elles sont un message, lourd de sens. Catherine le décode avec la vigueur laconique des gens que domine une perception forte.

La vision couleur-chair indique moins un coloris qu'une dimension d'Incarnation. Cette couleur-chair, c'est le blanc, la couleur de la peau (non du sang), et cela signifie : « la paix, le calme, l'innocence et l'union ». Catherine est arrivée dans une communauté convalescente et renaissante après

l'hémorragie de la Révolution. Elle n'a pas trouvé
là tout l'idéal qu'elle s'était fait, mais une réalité
plus terne, et parfois choquante. Pourtant, l'espérance la garde d'expressions négatives. Il y avait
alors beaucoup à réformer. Catherine le dira bientôt ; et les Supérieurs le ressentent déjà. Mais la
vision dépasse la réalité défaillante en direction
d'un avenir meilleur.

Le rouge-feu de la seconde vision désigne moins
une couleur qu'une ardeur intérieure. Ce que
Catherine perçoit, c'est le rayonnement qui,
d'Abraham à Moïse et à Pascal, fait prononcer le
mot feu, lorsque Dieu est proche[54]. Ce feu, que
rayonne le cœur de saint Vincent, « doit *allumer
la charité* dans les cœurs ».

Catherine ne se réfère aux défaillances qu'en
fonction d'un dépassement, promis par la vision.
La Communauté doit se « renouveler », précise-t-
elle, c'est-à-dire se réformer. Cette espérance
s'élargit aux dimensions de l'univers :

> Il me semblait que toute la Communauté devait
> s'étendre jusqu'aux extrémités du monde[55].

Pourtant, la troisième vision tourne au noir, et
inspire à Catherine des « tristesses » presque insur-
montables. Est-ce une nouvelle révolution avec ses
morts, comme en 1793 ? Ici, la vision de Catherine se concentre symboliquement sur le vieux
monarque. Peut-être l'a-t-elle entrevu, en visitant
la châsse de Monsieur Vincent. Elle a su au moins
sa participation à cette célébration. Dans son univers hiérarchique, où le Souverain (sacré par onction) est un sommet, comme le père à la ferme, le
Pape à Rome, et la Supérieure dans la maison,
l'hommage du Roi à Monsieur Vincent prend un
sens. La Restauration, parvenue aux derniers feux
d'un soleil couchant — un soleil d'hiver — lui est
apparue dans sa seule lumière religieuse, avant de
retomber dans la nuit du néant. Catherine
Labouré, en paysanne du vieux peuple de France,

comme la Violaine de Paul Claudel, accordait à ce
gouvernement le caractère d'un signe sacré. Elle
voyait dans sa chute un présage sinistre : la cor-
ruption du vieux monde religieux auquel elle
appartenait de toutes ses fibres, tout en étant fille
d'un père qui avait tenu les premiers états civils
de la Révolution.

Elle se sent maintenant porteuse d'un message
qui la dépasse, mais doit rester secret entre elle et
le ciel. Elle profite de la confession hebdomadaire,
sans doute le samedi 1er mai[56], pour le confier à
Monsieur Aladel[57]. Mais il lui est bien difficile
d'exprimer ce qu'elle a perçu : ce message
d'amour, de promesses et de malheurs imminents.
Catherine ne trouve pas d'écho derrière la grille.
La silhouette noire ne lui renvoie que crainte et
refus :

— *Encore une fille qui se monte le cou et bat la
campagne,* pense le confesseur.

Il l'invite au calme et à l'oubli :

— *N'écoutez pas ces tentations* (a-t-il ajouté : du
démon ?). *Une fille de la Charité est faite pour
servir les pauvres et non pour rêver*[58].

Catherine est bien d'accord pour le service.
Mais cette dissuasion l'étonne, car la vision décu-
ple ses forces pour aimer et pour servir. Alors
pourquoi opposer ceci à cela ? Elle recueille, du
moins, sans amertume, les consignes reçues :

> Mon confesseur m'a calmée le plus possible, en
> me détournant de ces pensées[59].

Le plus *possible !* Est-il « possible » de calmer
les ardeurs qui viennent de Dieu ? Elle se replie
sur une prière sage, austère, sur les formules offi-
cielles et les rites sacramentels. Elle ne voit plus le
cœur de saint Vincent. Au-dessus du reliquaire
aux ciselures métalliques, il n'y a plus que le
tableau religieux, où Sainte Anne siège, dans son
fauteuil, avec la petite Vierge Marie, les mains sur
les genoux de sa mère, en train d'apprendre à lire.

Notre Seigneur dans l'Eucharistie[60]

Mais voici autre chose... A la messe, soudain, l'hostie devient transparente comme un voile. Au-delà des apparences du pain, Catherine voit Notre Seigneur. Cela est arrivé avant qu'elle ait eu le temps de résister, comme l'y invitait son directeur. Serait-ce une illusion ? Catherine s'applique à cet exercice critique... et ne voit plus rien que l'hostie dans son dépouillement. Mais lorsqu'elle se laisse aller au mouvement intérieur — lorsqu'elle se remet à prier vraiment — alors l'hostie révèle celui qu'elle cache ordinairement. Ce n'est pas un rêve, ni une exaltation, mais comme l'accès mystérieux à la Réalité. Elle résume en disant :

> J'ai vu [...] Notre-Seigneur dans le Très-Saint Sacrement [...], tout le temps de mon Séminaire, excepté toutes les fois que j'ai douté [c'est-à-dire résisté] ; alors, la fois d'après, je ne voyais plus rien, parce que je voulais approfondir [...], je doutais de ce mystère, [et] croyais me tromper.

Comme saint Pierre, lorsqu'il s'enfonçait dans la mer en doutant de l'invraisemblable possibilité de marcher sur les flots.

Le 6 juin 1830, jour de la Trinité, la vision vire au noir, comme le cœur de Monsieur Vincent, deux mois avant. Catherine reprend ce mot « *noir* » pour signifier l'impact de cette vision attristante.

> Notre Seigneur m'apparut comme un Roi, avec la croix sur sa poitrine, [toujours] dans le Très Saint Sacrement. C'[...] était pendant la sainte messe, au moment de l'Évangile. Il m'a semblé que la croix coulait [de la poitrine] sur les pieds de Notre Seigneur. Et il m'a semblé que Notre Seigneur était dépouillé de tous ses ornements. Tout a coulé à terre. C'est là que j'ai eu les pensées les plus noires et les plus sombres[61].

Cette vision des souffrances du Christ, dans son

corps qui est l'Église, se forme sur le modèle tout proche des martyrs de la Révolution. L'interprétation de Catherine se polarise sur le Roi de France. Les théologiens avaient un moment fait de son onction un huitième sacrement, pour rehausser le titre de représentant de Dieu que l'apôtre Paul attribuait déjà aux souverains païens (Rom. 13, 1-4 ; 1 Tim. 2, 1-2 ; Tit. 3, 1). Catherine distingue bien sa *vision* et l'*application* qu'elle en fait au vieux Roi, entrevu, à bout de souffle, en avril précédent, lorsqu'il était venu rendre hommage à saint Vincent.

> « Je ne saurais expliquer », reconnaît-elle, mais j'ai eu les pensées que le Roi de la terre serait perdu [c'est-à-dire détrôné], et dépouillé de ses habits royaux (ib).

Catherine tente de confier ses « pensées » à Monsieur Aladel. Sans succès[62]. Mais le ciel continue de lui faire signe, irrésistiblement. Le désir de Dieu, qui avait inspiré sa vocation, enflamme la réalisation.

Elle est heureuse au Séminaire : légère habitante des faubourgs du ciel, et pourtant costaude au balayage des cours et aux chaudrons. C'est bien par accident qu'un jour, au réfectoire, elle reste si absorbée à la suite d'une apparition, si déconnectée du monde extérieur, qu'elle entend Sœur Cailhot, la troisième directrice, l'interpeller :

— *Eh bien, Sœur Labouré, vous êtes en extase*[63] ?

Sœur Cailhot a dit cela rondement, sans rien soupçonner. La formule était d'usage pour sanctionner les distractions. Ce n'est pas le genre de Catherine. Elle se met à manger bonnement, comme si de rien n'était. On ne l'y reprendra plus.

Au début de juin, elle reçoit une lettre de sa

sœur aînée, envoyée du midi, le 25 du mois de Marie. Marie-Louise vient seulement d'apprendre l'entrée de Catherine au Séminaire ! Elle est un rien mécontente :

> Ton silence depuis le 4 mars m'a donné beaucoup d'inquiétude [...]. Je te plaignais [...].

Cela dit, la joie domine la grande sœur :

> Je ne te plains plus, je remercie le Bon Dieu [...] Si tu n'as rien de particulier à dire, tu peux attendre quelque temps pour m'écrire ! [...]. Ton bonheur sera aussi parfait qu'on peut l'espérer sur la terre, si tu es docile à écouter les bons conseils qui ne te manqueront pas. Tu as, j'espère, perdu ta propre volonté sur la route de Châtillon à Paris. Je t'en félicite. Ne la réclame jamais ! Celle de nos Supérieurs vaut certes mieux que la nôtre. Figure-toi bien que tu n'es plus dans ton ménage, que tu ne sais plus rien faire [...]. Au Séminaire, ma chère amie, il faut faire provision de toutes les vertus [...] : surtout l'humilité [...]. Il n'est pas difficile de se croire la dernière de toutes, quand on y réfléchit un peu.

Elle charge Catherine d'un particulier souvenir pour Mère Marthe, une des lumières du noviciat :

> Oh ! combien nous aimons à nous entretenir de ses saintes instructions ! (n° IX, CLM 1, p. 180).

Une mission pour Catherine (18 juillet 1830)[64]

C'est précisément Sœur Marthe qui donne l'instruction au Séminaire, le soir du 18 juillet 1830, veille de la fête de Monsieur Vincent. Elle évoque chaleureusement la piété du Fondateur envers la Vierge Marie. Catherine boit ses paroles. Elle a vu Monsieur Vincent. Elle a vu Notre Seigneur... Elle n'a pas vu la Sainte Vierge. Et la voilà emportée par un nouvel élan :

Je me suis couchée avec [...] la pensée que, cette
même nuit, je verrais ma Bonne Mère. Il y avait
si longtemps que je désirais la voir.

Sœur Marthe a fait aux novices un cadeau : un
petit morceau du « rochet » (sorte de surplis) que
portait jadis Monsieur Vincent[65]. Avant de
s'endormir, une idée folle vient à Catherine. Elle
coupe en deux le petit morceau d'étoffe, et, dit-
elle, sans ambage,

> je l'ai avalé, et je me suis endormie dans la pen-
> sée que saint Vincent m'obtiendrait la grâce de
> voir la Sainte Vierge (n° 564, CLM 1, p. 336).

Elle enchaîne sans transition, par un *enfin,* qui
traduit la secrète impatience de son attente.

> *Enfin,* à 11 heures et demie du soir, je m'enten-
> dis appeler par mon nom :
> — *Ma Sœur, ma Sœur !*
> M'éveillant, j'ai regardé du côté où j'entendais
> la voix qui était du côté du passage. Je tire le
> rideau. Je vois un enfant habillé de blanc, âgé à
> peu près de 4 à 5 ans, qui me dit :
> — *Levez-vous en diligence et venez à la chapelle,
> la Sainte Vierge vous attend !*
> Aussitôt la pensée me vient :
> — *Mais on va m'entendre !*
> Cet enfant me répond : (il répond à sa
> pensée[66])
> — *Soyez tranquille, il est 11 heures et demie,
> tout le monde dort bien. Venez, je vous attends.*
> Je me suis dépêchée de m'habiller[67], et me suis
> dirigée du côté de cet enfant, qui était resté
> debout, sans avancer plus loin que la tête de mon
> lit. Il m'a suivie, ou plutôt je l'ai suivi, toujours
> sur ma gauche, portant des rayons de clarté par-
> tout où il passait. Les lumières étaient allumées
> partout où nous passions : ce qui m'étonnait
> beaucoup. Mais bien plus surprise, lorsque je suis
> entrée à la chapelle[68]... la porte s'est ouverte, à
> peine l'enfant l'avait touchée du bout du doigt.

En racontant ingénument son aventure, Catherine ne se doute pas qu'elle réitère celle de saint

Pierre, dans les *Actes des Apôtres,* (2, 6-11) lorsqu'il fut libéré de sa prison : « *Pendant la nuit... l'ange du Seigneur le fit lever... D'elle-même la porte s'ouvrit devant eux... Il croyait rêver* »... Elle continue :

Mais ma surprise a été encore bien plus complète, quand j'ai vu tous les cierges et flambeaux allumés : ce qui me rappelait la messe de minuit[69]. Cependant je ne voyais point la Sainte Vierge. L'enfant me conduisit dans le sanctuaire, à côté du fauteuil de Monsieur le Directeur[70]. Et là, je me suis mise à genoux, et l'enfant est resté debout tout le temps.

Comme je trouvais le temps long[71], je regardais si les veilleuses ne passaient pas par la tribune. Enfin, l'heure est arrivée, l'enfant me prévient. Il me dit :

— *Voici la Sainte Vierge. La voici*[72].

J'entends comme un bruit... comme le frou-frou d'une robe de soie, qui venait du côté de la tribune, auprès du tableau de saint Joseph, qui venait se poser *sur les marches de l'autel,* du côté de l'Évangile[73], dans un fauteuil pareil à celui de sainte Anne.

Pourtant, ce n'était pas sainte Anne qui était dans ce fauteuil, mais] la Sainte Vierge seulement[74]... Ce n'était pas la même figure de sainte Anne... Je doutais si c'était la Sainte Vierge[75]. Cependant l'enfant qui était là me dit :

— *Voici la Sainte Vierge*[76].

A ce moment, il me serait impossible de dire ce que j'ai éprouvé, ce qui se passait au-dedans de moi. Il me semblait que je ne voyais pas la Sainte Vierge.

Tout ce début a les apparences d'un rêve, comme la libération de l'apôtre Pierre dans les *Actes,* qui croyait rêver, mais le récit est tissé de précisions réalistes qui cadrent mal avec un rêve[77]. Catherine craint le passage des veilleuses qui circulent la nuit dans la tribune latérale. Elle doute de l'identité de la Vierge. Bernadette aussi se défendra au seuil de la première apparition, en obser-

vant les arbres qui ne remuaient pas, en dépit de
l'étrange coup de vent. Catherine, debout dans le
chœur, à gauche, devant la table de communion,
observe attentivement le fauteuil où la visiteuse est
assise en face d'elle, sur les marches de l'autel. Il
est pareil à celui du tableau accroché au-dessus du
reliquaire de Monsieur Vincent : celui où sainte
Anne enseigne sa fille, la petite Vierge Marie. Si
ce n'est pas sainte Anne qui est assise, serait-ce
donc la Vierge, debout dans le tableau de sainte
Anne. Se serait-elle installée dans le fauteuil de sa
mère ?

L'enfant répète :

— *Voici la Sainte Vierge !*

Mais Catherine ne réalise pas. Elle reste à dis-
tance, près du fauteuil de M. Richenet, placé là
en vue de la grand messe de saint Vincent :

> C'est alors que cet enfant me parla, non plus
> comme un enfant, mais comme un homme, le
> plus fort, et des paroles les plus fortes[78]. Alors,
> regardant la Sainte Vierge, *je n'ai fait qu'un saut*

Imagerie de la première apparition de la Vierge.

auprès d'elle[79], à genoux sur les marches de l'autel, les mains appuyées sur les genoux de la Sainte Vierge[80].

Là, il s'est passé un moment, le plus doux de ma vie. Il me serait impossible de dire ce que j'ai éprouvé[81]. Elle me dit comment je devais me conduire envers mon directeur, et plusieurs autres choses que je ne dois pas dire ; la manière de me conduire dans mes peines.

La Vierge lui montre « de la main gauche le pied de l'autel ». C'est là que je dois venir « me jeter [...] répandre mon cœur », continue Catherine.

Je recevrai toutes les consolations dont j'aurai besoin. [...] Je lui ai demandé tout ce qui signifiaient toutes ces choses que j'avais vues. [...] Elle m'expliqua tout[82].

Quelles explications Catherine a-t-elle entendues, durant cette rencontre intime, au contact de Notre-Dame ? Elle a tenté de le transcrire, à la fin de sa vie, 46 ans après l'apparition, le 30 octobre 1876, par deux fois. Nous établissons la version la plus complète possible en collationnant les deux rédactions (éditées en synopse dans CLM 1, p. 352-357).

— *Mon enfant, le Bon Dieu veut vous charger d'une mission*[83].
Vous aurez bien de la peine, mais vous vous surmonterez en pensant que vous le faites pour la gloire du Bon Dieu. Vous connaîtrez ce qui est du Bon Dieu. Vous en serez tourmentée, jusqu'à ce que vous l'ayez dit à celui qui est chargé de vous conduire. Vous serez contredite[84]. *Mais vous aurez la grâce. Ne craignez pas. Dites tout avec confiance et simplicité. Ayez confiance. Ne craignez pas. Vous verrez certaines choses. Rendez-en compte [c'est-à-dire :] ce que vous verrez et entendrez*[85].

Ce que Catherine est invitée à dire, avec confiance, ce sont les visions et paroles qui lui seront données. Ce sera la Médaille qu'elle sera bientôt invitée à faire frapper[86]. L'apparition conclut :

> Vous serez inspirée dans vos oraisons, rendez-en compte[87].

Cette promesse d'assistance est suivie par l'annonce de malheurs :

> *Les temps seront mauvais. Les malheurs viendront fondre sur la France. Le trône sera renversé. Le monde entier sera renversé par des malheurs de toutes sortes* (la Sainte Vierge avait l'air très peinée en disant cela). *Mais venez au pied de cet autel. Là, les grâces seront répandues sur toutes les personnes qui les demanderont avec confiance et ferveur : grands et petits. Des grâces seront répandues particulièrement [sur les] personnes qui les lui demanderont.*
>
> *Mon enfant, j'aime à répandre les grâces sur la Communauté en particulier. Je l'aime beaucoup, heureusement.*
>
> *[Et pourtant] j'ai de la peine. Il y a de grands abus sur la régularité. Les règles ne sont pas observées. Il y a un grand relâchement dans les deux Communautés. Dites-le à celui qui est chargé de vous, quoiqu'il ne soit pas Supérieur. Il sera chargé d'une manière particulière de la Communauté. Il doit faire tout son possible pour remettre la Règle en vigueur. Dites-lui de ma part, qu'il veille sur les mauvaises lectures, les pertes de temps, et les visites.*
>
> *Lorsque la Règle sera [re]mise en vigueur, il y aura une Communauté qui viendra se réunir à la vôtre. Ce n'est pas l'habitude. Mais je l'aime... Dites qu'on la reçoive. Dieu les bénira, et elles y jouiront d'une grande paix[88].*

C'est en 1850, que se réalisera cette prédiction : deux Communautés entrèrent dans la famille de saint Vincent : celle des Sœurs de la Charité, fondée par Elisabeth-Ann Seton (devenue depuis lors, la première sainte canonisée des États-Unis), puis celle des Sœurs de Charité d'Autriche, fondée par Léopoldine de Brandis[89].

> *La Communauté jouira d'une grande paix. Elle deviendra grande, conclut Notre-Dame.*

Mais c'est pour enchaîner sur l'annonce de troubles imminents.

> *De grands malheurs arriveront. Le danger sera grand. Cependant, ne craignez point, dites de ne point craindre ! La protection de Dieu est toujours là d'une manière toute particulière, et saint Vincent protègera la Communauté* (la Sainte Vierge était toujours triste). *Mais je serai moi-même avec vous. J'ai toujours veillé sur vous. Je vous accorderai beaucoup de grâces. Le moment viendra où le danger sera grand. On croira tout perdu. Là, je serai avec vous !*
> *Ayez confiance, vous connaîtrez ma visite et la protection de Dieu, et celle de saint Vincent sur les deux Communautés. Ayez confiance ! Ne vous découragez pas. Là je serai avec vous. Mais il n'en est pas de même des autres Communautés. Il y aura des victimes.* (La Sainte Vierge avait les larmes aux yeux, en disant cela.) *Pour le clergé de Paris, il y aura des victimes : Monseigneur l'Archevêque* (à ce mot, des larmes à nouveau) *mourra.*

Cette prédiction n'aura pas de réalisation en 1830. Il ne s'agit pas non plus de la mort de Monseigneur Affre, tué sur les barricades de juin 1848. L'autographe de Catherine, précise le temps : *40 ans après* la vision de 1830. Il s'agirait donc de la mort de Monseigneur Darboy en 1871[90]. Catherine n'a malheureusement consigné cette interprétation qu'en 1876 : post factum, mais elle se souvient l'avoir dit à Monsieur Aladel bien des années avant, précise-t-elle :

> A ces mots je pensai : Quand est-ce [que ce] sera ? J'ai très bien compris *40 ans*

(La deuxième rédaction ajoute : « et, 10 ans après la paix »)[91].

> A ce sujet, Monsieur Aladel me répondit :
> — *Savons-nous si vous y serez et moi aussi ?*

Je lui ai répondu :
— *D'autres y seront, si nous n'y sommes pas.*

L'apparition insistait sur les malheurs proches :

> *Mon enfant, la croix sera méprisée. On la mettra*
> *par terre. Le sang coulera. On ouvrira de nou-*
> *veau le côté de Notre Seigneur. Les rues seront*
> *pleines de sang. Monseigneur l'Archevêque sera*
> *dépouillé de ses vêtements.* (Ici la Sainte Vierge
> ne pouvait plus parler, la peine était peinte sur
> son visage) *:*
> — *Mon enfant, me disait-elle, le monde entier*
> *sera dans la tristesse.*

Enfin la vision commence à communiquer à
Catherine des projets qui se préciseront plus tard :
la nouvelle Association d'Enfants de Marie que
devra fonder son confesseur[92] ; on y célèbrera
« en grande pompe » le Mois de Marie[93], et celui
de saint Joseph[94] ; « il y aura beaucoup de dévo-
tion au Sacré-Cœur »[95].

Reprenons ici l'autographe de 1856 où Catherine
raconte la fin de l'apparition[96].

> Je suis restée je ne sais combien de temps. Tout
> ce que je sais, [c'est que] quand elle est partie, je
> n'ai aperçu que quelque chose qui s'éteignait,
> enfin plus qu'une ombre qui se dirigeait du côté
> de la [future] tribune [à droite][97], [par] le même
> chemin qu'elle était arrivée. Je me suis relevée de
> dessus les marches de l'autel, et j'ai aperçu
> l'enfant, [là] où je l'avais laissé. Il me dit :
> — *Elle est partie.*
> Nous avons repris le même chemin, toujours
> tout allumé, et cet enfant était toujours sur ma
> gauche. Je crois que cet enfant était mon ange
> gardien, qui s'était rendu visible pour me faire
> voir la Sainte Vierge, parce que j'avais beaucoup
> prié pour qu'il m'obtienne cette faveur. Il était
> habillé de blanc, portant une lumière miraculeuse
> avec lui, c'est-à-dire qu'il était resplendissant de
> lumière : âgé à peu près de 4 à 5 ans.
> Revenue à mon lit, il était 2 heures du matin
> [...]. J'ai entendu sonner l'heure. Je ne me suis
> point rendormie.

Cette longue veillée, très lucide jusqu'au matin, assure Catherine qu'elle n'a pas rêvé.

Elle ne tarde pas à faire part de son message à Monsieur Aladel[98], d'autant qu'elle ressent vivement ce que la Vierge lui a laissé entendre : « *Vous serez tourmentée jusqu'à ce que vous l'ayez dit à celui qui est chargé de vous conduire.* »

La requête est mal accueillie. Monsieur Aladel n'y voit qu'« illusion » et « imagination ». Sans doute les demandes relatives à la réforme des deux Familles[99] rejoignent-elles ses préoccupations évangéliques et radicales. Il est un des jeunes espoirs à qui l'on commence à faire confiance pour réorienter la Compagnie. Mais il se dit : De quoi se mêle cette jeune Sœur ? La perspective d'être promu fondateur[100] le choque. Flatterie déguisée sous les dehors d'une mission ? Enfin cette prophétie de malheur sur une nouvelle révolution lui paraît invraisemblable. Le transfert des reliques de Monsieur Vincent a manifesté une grande ferveur dans le peuple, et la rapide conquête de l'Algérie « promet à la France une grande prospérité », lui semble-t-il[101].

A l'encontre de ces pronostics optimistes, la révolution éclate, avant la fin du mois, les 27-29 juillet. Les « trois Glorieuses » réalisent à la fois la chute du trône et les troubles sanglants, paradoxalement annoncés[102]. Ainsi l'a ressenti Monsieur Étienne :

> Des églises sont profanées, les croix renversées, des Communautés religieuses envahies, dévastées et dispersées ; les prêtres poursuivis et maltraités. L'Archevêque de Paris lui-même est l'objet de la fureur de la populace, obligé de se travestir et de se cacher [dépouillé de ses vêtements, disait Catherine]. On croit voir reparaître les mauvais jours de 1793 (n° 619, CLM 1, p. 340).

Ce qui se vérifie, mieux encore que les violences

annoncées, c'est la protection des Lazaristes et Filles de la Charité. Les menaces semblent s'arrêter à
la porte des Maisons. Une bande de jeunes émeu-
tiers de 12 à 14 ans assaillent à grands cris la
maison des Lazaristes, 95, rue de Sèvres[103].

— *Nous avons vu entrer des armes !*

« Un bon Père, toujours en soutane », qui n'a
même « pas voulu se déguiser comme les autres »,
vint parler avec calme.

— « *Mon enfant, voulez-vous voir mes armes ?* »
dit-il au chef de bande

— « *Oui monsieur, faites-les voir.* »

Le Père ouvre « son bréviaire », montre ses
images, qui ont la chance d'intéresser le jeune
interlocuteur.

— *En voulez-vous une ?* lui demande le Père.

> Il en donna une et l'enfant s'en alla, triomphant,
> avec son image. Toute la bande le suivit.
>
> Un autre jour, ils vinrent encore pour faire
> sortir la croix qui se trouve au frontispice de la
> maison. Mais le courage et l'énergie de Monsieur
> Etienne les fit promptement partir. Et, depuis ce
> jour, tout fut fini. Plus rien ne vint troubler la
> tranquillité, raconte Sœur Pineau qui reconnait là
> une manifestation des promesses données à
> Catherine.

Catherine avait été jusqu'à des précisions qui
avaient paru absurdes : « Un évêque poursuivi
trouverait abri chez les Lazaristes ». Cela paraissait le moins indiqué des refuges. Or, voici qu'un
archevêque : Monseigneur Frayssinous, ministre
des cultes sous Charles X, vient demander l'hospi-
talité à Monsieur Salhorgne, Supérieur Général,
qui juge plus sûr de l'envoyer à Saint-Germain-en-
Laye[104].

Sous le choc de ces événements et surprises,
Aladel écoute Catherine avec plus d'intérêt, durant
ces temps troublés[105], mais « sans lui donner à
entendre qu'il attachât la moindre importance à
ses visions ». Après la tourmente, Catherine

revient aux confessions normales : ses petits péchés ordinaires, dont sa contrition et son humilité majorent l'importance. Cela laisse espérer au confesseur que la jeune Sœur redevient une pénitente sans histoire ni vision.

La Médaille[106]

Est-ce fini ? Non. Quatre mois plus tard, la voici porteuse d'une consigne précise : faire frapper une médaille à l'effigie de l'Immaculée, qu'elle a vue rayonnante des dons de Dieu.

Ce jour-là, elle fut à nouveau saisie d'un « grand désir de voir la Sainte Vierge », un désir qui venait de plus loin.

> Je pensais qu'elle me ferait cette grâce, mais ce désir était si fort que j'avais la conviction que je la verrai belle dans son plus beau.
> J'ai aperçu la Sainte Vierge à la hauteur du tableau de saint Joseph [...], debout, habillée de blanc, une taille moyenne, la figure si belle qu'il me serait impossible de dire sa beauté.
> Elle avait une robe de soie blanche aurore.

Cette fois, ce n'est pas de nuit que l'apparition s'est produite, mais « à 5 heures et demie du soir, le 27 novembre, pendant l'oraison, après le point de méditation, dans un profond silence » : non plus près du maître-autel, comme l'apparition au fauteuil, mais à droite, du côté du tableau de saint Joseph. Catherine n'a pas eu à se déplacer[107]. Elle a vu, de sa place, — en avant, à droite — où elle méditait, dans les rangs serrés des Sœurs, sans personne s'en aperçoive. Elle a confié la vision à Monsieur Aladel dans le secret du confessionnal. Voici ce qu'il en a retenu et diffusé :

> La novice a vu dans l'oraison un tableau[108] représentant la Sainte Vierge, telle qu'elle est

ordinairement représentée sous le titre d'Immaculée Conception, en pied et tendant les bras. [Elle était] vêtue d'une robe blanche[109] et d'un manteau de couleur bleue argenté[110], avec un voile aurore[111]. Il sortait de ses mains comme par faisceaux, des rayons d'un éclat ravissant[112]. [La Sœur] entendit au même instant une voix qui disait :

— *Ces rayons sont le symbole des grâces que Marie obtient aux hommes*[113].

Autour du tableau, elle lut, en caractères d'or, l'invocation suivante :

— *O Marie, conçue sans péché, priez pour nous qui avons recours à vous*[114].

L'autographe de Catherine précise ses sentiments d'alors :

Ici je ne sais m'exprimer sur ce que j'ai éprouvé, et ce que j'ai aperçu : la beauté et l'éclat, les rayons [...].

— Je répands [ces grâces] sur les personnes qui me les demandent [entendit Catherine. Elle me fit] comprendre combien il était agréable de prier la Sainte Vierge et combien elle était généreuse

L'apparition du 27 novembre : imagerie d'époque.

envers les personnes qui la prient. Que de grâces elle accordait aux personnes qui les lui demandent, quelle joie elle éprouve en les accordant.

A ce moment, ou j'étais, ou je n'étais pas, je jouissais, je ne sais.

Aladel continue son récit en termes qui coïncident laconiquement avec ceux de Catherine :

Quelques moments après, ce tableau se retourne, et sur le revers, elle distingue la lettre M surmontée d'une petite croix, et, au bas, les saints Cœurs de Jésus et de Marie[115]. Après que la Sœur eût bien considéré tout cela, la voix lui dit :

— *Il faut faire frapper une médaille sur ce modèle[116], et les personnes qui la porteront indulgenciée et qui feront avec piété cette courte prière, jouiront d'une protection toute spéciale de la Mère de Dieu[117].*

Voilà comment Aladel racontera plus tard l'apparition[118]. Mais sur le moment, il l'accueille fort mal. Ce retour des visions est mauvais signe :

— *Pure illusion !* rétorque-t-il. *Si vous voulez honorer Notre-Dame, « imitez ses vertus », et gardez-vous de l'imagination !*[119].

Catherine se retire, apparemment calme, « sans s'inquiéter davantage », constate le confesseur (n° 52, CLM 1, p. 220). Mais cela tient avant tout à sa maîtrise d'elle-même, et à la grâce promise, car le choc a été rude. Soulagée d'avoir osé parler, elle tente maintenant d'obéir.

Aladel s'est si peu intéressé au message qu'il n'a jamais retenu la date de cette première apparition : 27 novembre. Catherine la rappellera beaucoup plus tard, en 1841[120]. Il n'a pas davantage mesuré combien de jours après l'événement, Catherine vint lui en faire part[121]. L'important pour lui, c'est de l'inviter fermement à ne point y revenir.

Dernière apparition
(décembre 1830)

Mais voici qu'en décembre, elle revoit le tableau. Elle rédigera, plus tard, le récit de cette « *Troisième apparition de Notre-Dame* » : deuxième et dernière de la Médaille. Elle « n'a pas remarqué le temps », c'est-à-dire la date[122].

Comme le 27 novembre, c'est à 5 heures et demie, après le point de la méditation. Et c'est le même signal : le frou-frou d'une robe de soie. Il y a des différences : Elle vient, non plus du côté de la tribune, mais de derrière l'autel. Et le « tableau » de la Médaille se présente, non plus « à la hauteur du tableau de saint Joseph », à droite[123], mais au centre : « auprès du tabernacle », un peu en arrière.

Même « robe montante » — « à la Vierge », comme dit Catherine — « couleur d'aurore » ; même « voile bleu ». Les « cheveux en bandeaux couvrent une espèce de serre-tête, garni d'une petite dentelle de la longueur de deux travers de doigt », précise-t-elle minutieusement, en des termes analogues à ceux qu'elle employait pour l'apparition du 27 novembre. Les rayons qui rejaillissent des mains « remplissaient tout le bas de manière qu'on ne voyait plus les pieds de la Sainte Vierge ». Comme la dernière fois, « une voix » se fait entendre, au fond du « cœur » :
— *Ces rayons sont le symbole des grâces que la Sainte Vierge obtient aux personnes qui les lui demandent.*

L'apparition a le caractère d'un adieu. Et Catherine, dont le Séminaire s'achève, reçoit ce message :
— *Vous ne me verrez plus, mais vous entendrez ma voix pendant vos oraisons*[124].

C'est donc la fin des visions. Toutes ont eu lieu
à la chapelle de la rue du Bac[125]. Seules des com-
munications ou inspirations intérieures les prolon-
geront.

Voilà Catherine prise entre le devoir de faire
part de la requête ainsi renouvelée, et l'obéissance
à son directeur qui ne veut plus entendre parler de
ces « imaginations ». Elle donne prime à l'obéissance terrestre, puisque Notre-Dame n'a rien urgé.

4. PRISE D'HABIT

Fin du séminaire

Le 30 janvier 1831, le Séminaire s'achève.
Catherine prend l'habit.

Le lendemain, elle quitte le Séminaire.

Première alerte

> Avant de se rendre à sa nouvelle destination,
> [elle] passe quelques jours dans une maison de
> nos Sœurs, raconte Sœur Pineau, en mars 1877
> (CLM 2, p. 57-58).

Cette courte étape semble avoir été prévue par
Aladel pour examiner Catherine. Il « prend prétexte pour aller visiter les Sœurs de cette maison ». Le bruit des visions du Cœur de Monsieur
Vincent avait déjà circulé, auréolées de l'étonnante
protection expérimentée par les Sœurs, pendant la
Révolution de Juillet. « On savait que Monsieur
Aladel avait reçu des confidences. Dès qu'il
parut, les Sœurs l'entourèrent, et chacune, à l'envi,
le pressa de questions ». Il avait l'œil ouvert.
Catherine est provoquée plus que lui-même. Il est
inquiet. Va-t-elle se trahir ?

Non ! « Sans se déconcerter », elle est « la plus
empressée à se mêler à toutes les questions, tran-

La première apparition de la Médaille (tableau de Lecerf, 1835).

quillement, et sans se démasquer en aucune manière ». Le confesseur en est impressionné. Celle qu'il avait si sévèrement accueillie vient de marquer un point (sans qu'il en laisse rien paraître). Cette jeune Sœur, qui lui arrivait dans l'ombre, toute pleine de visions et messages inopportuns, était donc étrangère à l'ostentation, souverainement maîtresse d'elle-même, et capable de garder le secret. C'était là une sorte de charisme. Aladel ignorait, à cette date, la deuxième et dernière apparition de la Médaille. Catherine, obéissante, n'avait pas osé lui en parler. Son impression vive de ce jour-là, c'est que la « *Sainte Vierge aidait la Sœur à garder son secret et que ce secret-là lui était agréable*[127] ».

Sœur Marthe Velay, la première directrice, n'avait évidemment rien deviné lorsqu'elle consignait, à la fin du Séminaire, cette appréciation qui souligne le caractère ordinaire et commun de Catherine[128].

> Forte, taille moyenne.
> Sait lire et écrire pour elle.
> Le caractère a paru bon.
> L'esprit et le jugement ne sont pas saillants.
> Assez de moyens.
> Pieuse, travaille à la perfection.

4

Premiers pas à l'hospice d'Enghien

DE LA PRISE D'HABIT AUX VŒUX
5 février - 3 mai 1835

Le 5 février 1831, Catherine sonne au 12 de la rue de Picpus : l'Hospice d'Enghien où elle est nommée[1]. Quatre filles de la Charité l'accueillent[2]. Vieux et vieilles guettent la nouvelle arrivante.

Elle a 24 ans. Il lui en reste près du double à vivre, ici-même. C'est la commune de Reuilly, faubourg deshérité au sud-est de Paris, à 5 km de la rue du Bac... et 4 seulement du restaurant de Charles Labouré, situé également à l'est, mais plus au nord.

L'Hospice d'Enghien n'a que douze ans d'existence. C'est en 1819 que la Duchesse de Bourbon l'a fondé, en souvenir de son fils, le Duc d'Enghien, fusillé en 1804, dans les fossés de Vincennes, par décision de Napoléon 1er. Elle l'avait établi rue de Varenne, pour soigner les convalescents sortant des hôpitaux de Paris, ainsi que douze pauvres femmes âgées. C'est l'héritière, Madame Adélaïde d'Orléans, sœur de Louis-Philippe — aujourd'hui régnant — qui a transféré la Fondation à Reuilly en 1829[3], en y ajoutant la charge de soigner 50 vieux serviteurs de la famille d'Orléans, pour qu'ils y trouvent une existence décente, après avoir abandonné leur étincelante livrée.

Si Monsieur Aladel a maintenu Catherine dans une banlieue si proche, c'est pour mieux veiller

Hospice de Reuilly, où Catherine servira pendant 46 ans.

sur cette jeune Sœur, normale dans le service quotidien, mais inquiétante par ses visions.

1. CUISINE, JARDIN ET POULAILLER

La maison, aux couloirs voûtés, ouvre sur un jardin, qui s'étend sur deux hectares jusqu'à la rue de Reuilly. C'est sur ce terrain qu'elle va trouver bientôt du travail à la mesure de ses forces[4].

Trop jeune pour le service des vieillards, parfois trop entreprenants[5], elle est affectée à la cuisine. On s'aperçoit qu'elle sait y faire. Elle a vite retrouvé les tours de main de la ferme, perfectionnés par l'expérience du restaurant Labouré où la clientèle exigeait plus de raffinement et d'invention. Elle traite ses vieillards comme des clients qu'il faut honorer.

Son seul tourment vient de la cuisinière en titre : Sœur Vincent, 35 ans[6]. Cette Sœur, une des fondatrices de la maison, a bonne réputation par sa grande abnégation et sa vive sensibilité. Mais elle est parcimonieuse. Pour Catherine, qui aime donner largement, ces restrictions sont intolérables.

— *Il faut supporter cette compagne avec patience,* répond imperturbablement Aladel, qui confesse à Enghien.

C'est le chemin de la vertu. Comment peut-il être au rebours du service et de l'amour même des pauvres ? Catherine, troublée, fait de son mieux, sans parvenir à la résignation. Serait-elle si peu douée pour la vertu ? Elle tente de s'en persuader humblement.

Au poulailler qu'on lui a confié, tout va bien[7]. Sa compétence y est sans rivale, ainsi que dans le vaste jardin où les citadines œuvrent en pure perte. Cela devient son domaine. Elle gère, organise, et défend ce territoire contre les moineaux et autres prédateurs : bêtes et gens[8]. Elle va peu à peu renouveler les méthodes d'exploitation, et faire de ces terres une petite ferme à la mode de Bourgogne. Elle trouve là ses racines, quoiqu'en terre moins généreuse.

Ainsi réalise-t-elle, comme elle l'avait appris à Fain, un rêve de Monsieur Vincent, que son activité « non productive » tourmentait au point d'écrire le 24 juillet 1655 :

> Nous vivons du patrimoine de Jésus-Christ, de la sueur des pauvres gens... J'ai souvent cette pensée, qui me fait entrer en confusion :
> — *Misérable ! as-tu gagné le pain que tu vas manger, ce pain qui te vient du travail des pauvres ?*

L'analyse évangélique de Monsieur Vincent est radicale. Karl Marx n'accordait au travail des pauvres que la plus-value. Lui, il les ressent, purement et simplement comme les seuls auteurs légitimes du pain qu'il mange...

Catherine, fermière, est au-delà de ce problème. Elle sert les pauvres en produisant leur subsistance, un peu plus chaque année. Aux milliers de poulets et pigeons s'ajoutera bientôt le lait des vaches qu'elle installera dans l'étable de Reuilly. Cette fatigue est tonique pour sa conscience.

2. ENFIN LA MÉDAILLE

Catherine rejetée

Le retour à des tâches matérielles astreignantes, a tari la vision chez Catherine. Elle n'a parlé de la Médaille à Monsieur Aladel qu'une fois, après l'apparition du 27 novembre. Il a usé de tant d'autorité pour lui interdire d'y penser qu'elle a gardé pour elle la deuxième apparition : celle de décembre. Si elle ne « voit plus » maintenant, comme Notre-Dame le lui avait annoncé, une voix intérieure la presse de transmettre son message. Au printemps donc, elle cède à cette inspiration qui la tourmente. Peine perdue, Aladel la voit venir. Il prévient tout débordement. Consigne inchangée : résister à l'illusion[9].

Catherine est soulagée d'avoir parlé. Aladel se félicite de la voir partir si paisible.

Mais la voix intérieure continue d'insister. Que faire, entre ces consignes contradictoires de Notre-Dame et du représentant de Dieu ? A l'automne, elle ose répliquer à Notre-Dame :

— « *Il* » *ne veut pas m'entendre.*

Il, c'est M. Aladel.

— « *Il* » *est mon serviteur,* répond la voix intime, *il craindrait de me déplaire*[10].

A l'automne, Catherine revient donc à la charge, une troisième fois[11], près de celui que Notre Dame veut atteindre :

— *La Vierge est fâchée !* ose-t-elle dire.

Aladel reste de marbre. Mais ces mots le touchent et le tourmentent, à son tour. Serait-il un « mauvais serviteur » de « Celle qu'il aime appeler : *Refuge des pécheurs* » ? Perplexe, il laisse Catherine parler plus que les deux premières fois, mais sans démasquer son trouble. Il la renvoie, pareillement, sans rien lui laisser espérer[12].

Cette fois, pourtant, il en parle sérieusement à M. Etienne, Procureur général des Lazaristes, son ami, auquel il en avait déjà touché un mot, vaguement, sur l'impression que lui avaient laissée en juillet 1830 les prédictions de la Révolution. Ces deux jeunes espoirs de la Congrégation, déjà chargés de responsabilités, à 30 ans à peine, partagent soucis et projets. Ils savent l'extrême prudence que l'Église requiert en matière d'apparitions[13]. Pourtant, ils soumettent le cas à Monsieur Salhorgne, Supérieur général, qui ne se montre point défavorable (n° 626, p. 33) :

— *Je vais bientôt rencontrer l'archevêque de Paris, Mgr de Quélen, pour les affaires de la Congrégation, accompagnez-moi,* propose Monsieur Etienne à son confrère, *nous en profiterons pour soumettre cette requête... parmi d'autres.*

Que va penser le prélat ? se demandent-t-ils au
seuil de l'audience.

Surprise ! L'apparition de Marie dans le mystère
de sa grâce originelle rencontre chez lui un attrait
profond[14]. Ce rayonnement du soleil de justice —
le Christ — quelle belle illustration de ce
mystère ! Oui, Marie, la femme revêtue de soleil
dont parle l'Apocalypse, veut rayonner Celui
qu'Elle a mis au monde :

— *Nul inconvénient à frapper la Médaille,* conclut
l'archevêque. Elle n'a rien que de très conforme à
la foi et à la piété. Elle peut contribuer à faire
honorer Dieu.

La voie est donc libre, avec la prudence que
l'Église requiert en pareil cas :

— *On n'a point à préjuger de la nature de la
vision, ni à en divulguer les circonstances. Qu'on
diffuse cette médaille, tout simplement. Et l'on
jugera l'arbre à ses fruits*[15].

Le projet prend alors forme, mais sans précipi-
tation. Aladel établit un modèle ramené aux traits
essentiels. Pour l'avers de la médaille, l'invocation
à inscrire : *Marie conçue sans péché* invite à gra-
ver le type classique de l'Immaculée conception,
selon le vœu de l'archevêque. Le modèle sera
donc la statue de Bouchardon, qui se trouve à
Saint Sulpice, mais, avec ce rayonnement des
mains, qui fait la nouveauté de la vision. Pour le
revers, Aladel est plus embarrassé. Contrairement
à ses habitudes, il consulte Catherine, au confessionnal de Reuilly :

— *N'y avait-il pas une autre inscription, comme
sur l'avers ?*

Elle ne sait plus. Elle priera. A la confession
suivante, elle donne la réponse, reçue dans l'oraison :

— *L' M et les deux cœurs en disent assez*[16].

Choléra

L'exécution va donc commencer, en ce début mars 1832[17]. Mais voici que le choléra déferle sur Paris, le 26, en plein carnaval. L'épidémie, venue de Russie par la Pologne, provoque des diarrhées torrentielles, qui obligent les hôpitaux débordés à percer les lits des malades pour que le flot s'écoule dans des seaux disposés en catastrophe. En 4 ou 5 heures, le corps d'un homme en bonne santé se trouve réduit à l'état de squelette. Le bilan des morts grossit en crescendo impressionnant.

Au total, il y aura 18 400 décès *officiels :* plus de 20 000 en réalité, car les statistiques et la presse minimisent le phénomène pour limiter la panique.

Les médecins accourus à Paris pour s'informer sur l'épidémie, contribuent à la propager en province. Les grands patrons combattent moins la maladie que les symptômes : diarrhée, crampes, ou vomissements. Bouillottes et bains chauds combattent le froid qui glace les malades. Saignées, calomel, opium, voudraient endormir les spasmes, dont la vigueur semble se concentrer en ces éjections intarissables. Dupuytren, influencé par une

recette des prostituées de Hambourg « pour masquer leurs règles », applique de l'acétate de plomb pour obstruer les selles. D'autres prescrivent de l'ipécacuanha, « dans le but de remplacer les vomissements naturels par l'entretien de vomissements artificiels », selon le principe : *Vomitus vomitu curatur* (soigner le mal par le mal). Récamier et Chaumel pratiquent des frictions. Camomille, valériane, menthe, éther et laudanum sont les recettes de Velpeau à l'hôpital de la Charité. A l'Hôtel-Dieu, Magendie sauve 8 malades sur 20, grâce à des potions alternées de punch et de camomille, avec acétate d'ammoniaque. Broussais publie les triomphes de sa méthode : ingestion de guimauve et de glace, réchauffement externe par bains de vapeurs, cataplasmes et sangsues derrière l'oreille et sur la nuque. Ces médications assez étranges révèlent leur logique lorsqu'on apprend qu'il tenait le choléra pour une « gastro-encéphalie ». Les sangsues posées dans l'anus, étaient sensées « attirer les mouvements du centre vers la périphérie ». Il avait obtenu 39 guérisons sur 40 malades, assurait-il. *La Gazette médicale* contesta ce bilan. Elle y opposa le chiffre de 24 guérisons sur 129 cas. Au rédacteur Jules Guérin, Broussais envoya ses témoins. C'est alors que mourut, dans son service, Casimir-Périer, (président du conseil des ministres), « bien que soigné par lui ». Guérissait qui pouvait[18].

C'est dans la retraite où il se cachait que Monseigneur de Quélen apprend le fléau. Une émeute populaire l'avait chassé de son Évêché, le 15 janvier 1831 ; il avait dû se réfugier au monastère Saint-Michel, puis chez les Caffarelli[19]. Aussitôt, il revient vers son peuple en détresse, célèbre la messe chez les Filles de la Charité (en la Chapelle des apparitions) et se rend droit à l'Hôtel-Dieu. Monsieur Etienne inquiet des violences dont le Prélat semble menacé, insiste pour l'accompagner dans les hôpitaux. Mais le geste de l'archevêque a vaincu la haine. Ses prières, ses bénédictions vien-

Mgr de Quélen visite les malades.

nent au rendez-vous de l'espérance[20]. A la demande de Mgr de Quélen, M. Etienne ouvre Saint-Lazare aux malades. Il est happé par le tourbillon de ce ministère où le drame et l'imprévu se multiplient. De même, Aladel, dont la santé, subira une grave atteinte[21].

Frappe chez M. Vachette

En fin mai, l'épidémie semble reculer. Les journaux en annoncent la fin. Aladel prend enfin contact avec le bijoutier Vachette, 54, quai des Orfèvres ; il lui passe commande de la médaille.

Hélas, l'épidémie reprend, dès la deuxième quinzaine de juin. La panique redouble[22], mais la fabrication est en route. Vachette livre les 1 500 premiers exemplaires le 30 juin[23]. L'archevêque reçoit la première et ne tardera pas à faire faire, pour sa chambre, une statue « selon le modèle montré à la Sœur[24] ».

Catherine reçoit sa Médaille début juillet, dans sa communauté, sans que rien ne la distingue et puisse éventer le secret. Elle regarde l'effigie. En avait-elle vu un croquis ? Nul document ne le suggère. Qu'éprouve-t-elle alors ? Avant tout, la joie que la requête de Notre-Dame soit exaucée, après cette impasse apparemment sans espoir : la Vierge est là, rayonnante, avec l'invocation, d'un côté ; la Croix et les cœurs, de l'autre.

Catherine s'est-elle souciée des libertés d'interprétation : celles d'Aladel qui avait stylisé le modèle, selon la Vierge de Bouchardon ; celles de l'orfèvre, qui avait mis sur le revers les étoiles omises sur l'avers (autour de la tête de Notre-Dame), et avait ajouté deux petites barres horizontales, et un trèfle : son label ?

Aladel lui avait laissé toute liberté pour le détail, sachant que l'expression d'une vision ineffable et lumineuse, dans le bas-relief minuscule d'une médaille ne pouvait être qu'une interpréta-

tion. A Lourdes, l'abbé Peyramale se débattra bientôt avec le même problème, entre Bernadette et le sculpteur Fabisch, chargé de faire une statue conforme à la vision. Il lui faudra étouffer la déception de la voyante, par déférence pour l'artiste de renom, qui a interprété « selon les règles de l'art ». De toutes façons, on ne pouvait pas faire comme c'était[25]. Catherine ne s'est pas arrêtée aux détails, trop heureuse de voir l'essentiel réalisé : l'invocation, le rayonnement de l'Immaculée, les signes de la Croix et de l'Amour. Lors de cette première distribution, elle ne manifesta que son approbation.

— *Maintenant, il faut la propager*[26], dit-elle, sûre que Dieu ferait le reste.

Si la réalisation matérielle lui a procuré quelques déceptions, les premières guérisons et conversions ne vont pas tarder à la rassurer, au-delà de toute attente.

Premiers rayons

La Médaille fut d'abord distribuée par les Filles de la Charité, dans la région de Paris, lors de la reprise du choléra[27].

Première médaille « frappée » par Vachette : juin 1832.

A Paris, à l'école de la place du Louvre, la petite Caroline Nenain (8 ans), de la Paroisse Saint-Germain-l'Auxerrois, seule de sa classe à ne pas porter la Médaille, avait été seule atteinte du choléra. Les Sœurs lui procurent la Médaille. Elle guérit aussitôt. Dès le lendemain, elle revient en classe[28].

Il y a aussi des conversions : le 13 juin 1833, un militaire d'Alençon, « enragé et blasphémateur », à qui les Sœurs ont remis la Médaille, se met à prier, contre toute attente. Il voit venir la mort avec sérénité, jusqu'à dire :

> — *Ce qui me cause du chagrin, c'est d'avoir aimé si tard et de ne pas aimer davantage*[31].

La Médaille a été diffusée sans référence explicite à l'apparition. Pour cela, il eût fallu procéder à une enquête canonique et en référer à Rome, où ces dossiers sont mal accueillis.

Raz de marée

Mais le succès vient déborder cette discrétion. Les miracles dont on parle provoquent des ques-

Imagerie populaire des premières guérisons.

tions sur l'origine de cette médaille, et des réponses improvisées. La rumeur grossit en raz de marée. Des lettres reconnaissantes arrivent spontanément à Saint-Lazare[33], avec demandes d'autres Médailles et d'explications.

Le 5 août 1833, Monsieur Lamboley, Lazariste, émigré en Espagne durant la Révolution, envoie un récit des apparitions : Il y raconte non seulement celle de la Médaille, mais aussi celles du cœur de Monsieur Vincent, chères aux « deux familles » par lui fondées[34].

Dès février 1834, avant qu'aucun récit n'ait été publié, la Médaille est couramment qualifiée de *miraculeuse*[35]. Comment canaliser ce mouvement sans se mettre en fausse situation vis-à-vis du Saint Siège, qui interdit la propagation prématurée de révélations et miracles ?

Première publication

C'est l'abbé Le Guillou qui trouve la solution. Ce prêtre breton, artiste et musicien, que l'archevêque a fait venir à Paris, est devenu un de ses conseillers. Il propose d'éditer une information dans le cadre modeste d'un *Mois de Marie*[36]. Il est admis que ces livres de piété soient illustrés de « miracles » et d'« exemples », racontés librement, à titre d'illustration, pour stimuler la ferveur. La Médaille sera présentée de cette manière. A cet effet, Le Guillou demande à Monsieur Aladel une lettre, où il racontera l'apparition (sous l'anonymat). La lettre, rédigée le 17 mars 1834, est laconique ; une page à peine, prudente à souhait :

> Vers la fin de l'année 1830, *une personne* me fit part d'une vision, qu'elle eût, *me dit-elle,* dans l'oraison. Elle avait vu, *comme en tableau,* la Sainte Vierge...

Quelques « traits de guérisons, conversions et protection » sont qualifiés avec prudence. Les médecins restent perplexes, précise Le Guillou. Ils disent sur différents tons :

— *C'est un phénomène !*

Et certains laissent entendre ironiquement :

— *C'est du magnétisme*[37] !

Le *Mois de Marie* est publié avec approbation personnelle de l'archevêque, en date du 10 avril 1834. Il est très vite (et très prudemment) recensé par un jeune homme de 21 ans, nommé Frédéric Ozanam. On peut maintenant dire à qui veut s'informer :

— *Lisez Le Guillou, page 317.*

Cette première diffusion fait désirer une notice ex-professo sur la Médaille. C'est cela que le public demande.

Aladel se détermine à l'écrire lui-même, toujours sous l'anonymat[38]. Il développe un peu le récit laconique du 17 mars, reprend deux fois sa rédaction, non sans ratures, qui manifestent ses hésitations. Il précise un peu l'identité de la voyante : il ne s'agit plus seulement d'une « *personne* » mais d'une « *Sœur* M..., novice à Paris, dans une des communautés qui se consacrent au service des pauvres[39]. »

Aladel, qui avait prudemment écrit dans le manuscrit : elle a « cru voir »[40] ose dire dans l'édition qu'elle « a vu dans l'oraison un *tableau* »[41]. Mais ce dernier mot relativise l'apparition, et la suite souligne que « la Sainte Vierge » y figure « *comme on a coutume de la voir représentée sous le titre de l'Immaculée Conception* »[42].

Ces précautions seront une protection, au cas où Rome s'inquiéterait.

En recevant les épreuves du volume, en juillet, Aladel demande à Catherine l'autorisation de divulguer (en respectant bien sûr l'anonymat) ce qu'elle avait dit au confessionnal, et de faire état de cette autorisation.

A l'occasion de ce même contact, il répare, une omission signalée avec feu par Catherine :

> Depuis peu, Sœur M... nous a fait part d'une circonstance que nous avions omise en racontant les trois visions. C'est que ces grâces, figurées par les rayons, découlaient avec plus d'abondance sur une partie du globe qui se trouvait aux pieds de Marie ; et cette partie privilégiée, c'était la France[43].

La *Notice* paraît le 20 août. Le récit de l'apparition reste laconique, dépouillé : ni description de l'apparition, ni couleurs, ni détails. Aladel parle comme si les « trois visions » qu'il mentionne étaient strictement identiques et largement espacées dans le temps, selon des intervalles qu'il modifie dans ses rédactions successives. Suit un florilège de miracles physiques et spirituels, où l'on trouve déjà la guérison d'une femme muette, survenue à Constantinople, le 10 juin 1834[44]. Tirée à 10 000 exemplaires, la *Notice* est épuisée en moins de 2 mois[45]. Elle manquera durant les deux mois suivants.

La deuxième édition, qui sort enfin le 20 octobre, disparaît plus vite encore : en moins d'un mois, quoique tirée à 15 000. La troisième est tirée à 37 664 exemplaires[46].

Dix millions de médailles

Dans les éditions ultérieures, les récits de guérisons s'étendent aux États-Unis (1836), à la Pologne (1837), à la Chine, à la Russie (1838) et à l'Abyssinie (1839). A cette dernière date, la Médaille est répandue à plus de 10 millions d'exemplaires dans le monde entier. Quantité d'orfèvres en fabriquent. Monsieur Vachette, débordé, n'a pas le temps de s'attaquer aux nombreux concurrents et contrefacteurs.

Comment expliquer cette diffusion ? Est-ce l'épidémie du choléra qui a lancé la Médaille ? L'hypothèse paraît obvie, mais ne résiste pas à l'examen. Les médecins de l'*Institut Pasteur,* qui ne négligent pas les sciences humaines, ont bien noté la différence de retentissement psycho-sociologique entre la peste et le choléra. *La peste* éveille le sentiment d'un châtiment divin. Elle stimule le sentiment religieux. *Le choléra,* avec ses diarrhées grotesques, provoque plutôt la dérision, et la colère contre les pouvoirs publics. C'est à eux qu'on s'en prend, plutôt qu'à Dieu.

Et surtout, la grande expansion de la Médaille n'avait pas commencé lorsque l'épidémie se terminait en l'automne 1832[47]. Au début de 1834, date où le choléra est oublié depuis plus d'un an, à peine une dizaine de milliers de médailles ont-elles été répandues. Le cap des 50 000 n'a été franchi qu'au début mars[48]. Les 150 000 durant l'été, les 500 000 à l'automne (fin novembre)[49]. Dès lors, le mouvement se répand à l'échelle mondiale, indépendamment des circonstances particulières.

Action de grâces

Catherine est dans l'action de grâces, car cette fulgurante expansion s'accompagne de conversions, guérisons, protections, qui alimentent les conversations quotidiennes. La foi, qui semblait impuissante, guérit, convertit, protège. La Bonne Nouvelle annoncée par Isaïe redevient actuelle : « *Les aveugles voient, les boiteux marchent, les pauvres sont évangélisés*[50]. » C'est un réveil pour le peuple dont la tradition religieuse n'a pas été déracinée par la Révolution. La Médaille est une Bible des pauvres, une icône, le signe d'une présence, amie et puissante : celle de Marie dans la Communion des saints[51], dans la lumière du Christ, à l'ombre de la Croix, sous le signe du seul Amour, figuré en forme de cœur sur le revers de la Médaille. Catherine est heureuse. Ce qui lui avait été demandé dans la nuit se réalise avec éclat.

3. CATHERINE EXPOSÉE

Mais voici, du même coup, le secret menacé. On cherche à deviner « quelle novice de 1830 » a reçu la vision[52]. Et les plus perspicaces mettent Catherine en difficulté[53].

L'alerte de 1835

En 1835, date où les Médailles sont déjà répandues à plus d'un million[54], les Supérieurs, émerveillés du renouveau de ferveur et de vocations font exécuter par le peintre Lecerf, deux tableaux commémoratifs des visions de 1830 : cœur de saint Vincent et Médaille miraculeuse. C'est le tableau qui a été réalisé avec le plus grand souci d'exactitude. Aladel s'est préoccupé d'indiquer les couleurs, notamment le manteau bleu argenté. Le peintre a présenté avec beaucoup d'exactitude le cadre de la chapelle de la rue du Bac, avant ses agrandissements. L'interprétation n'est pas minutieuse. Le revers et l'avers de la Médaille sont représentés sur un seul tableau. Il n'est pas impossible qu'Aladel ait interrogé brièvement Catherine sur l'un ou l'autre point. Toujours est-il qu'il lui ménage l'occasion de voir les deux peintures, après leur installation au Séminaire. La visite est discrète, anodine, sans doute à l'occasion d'une retraite de Catherine à la Maison-Mère. Mais la porte est ouverte, comme il convient. Tandis que le confesseur et sa pénitente sont en contemplation silencieuse, une Sœur arrive et dit ingénument en désignant Catherine :

> — *C'est certainement cette Sœur qui a eu la vision !*
> Monsieur Aladel, embarrassé, se tourna vers la Sœur qui se mit à sourire et lui dit :
> — *On a bien rencontré !*
> Sur quoi, la Sœur qui croyait avoir deviné, s'écria :

— Oh ! je n'y crois plus ! Car si c'eût été elle, vous ne vous seriez pas adressé à elle pour me le faire savoir[55] !

Des risques

Le mode de diffusion discret autorisé par l'archevêque est maintenant dépassé par les événements. La Médaille est mondialement connue comme « miraculeuse ». Nul n'ignore plus qu'elle est le fruit d'une vision. En droit, les bureaux romains seraient donc fondés à dénoncer là un abus. Il n'y a sans doute pas péril en la demeure, car, à Rome même, les cardinaux Lambruschini et Rivarola ont pris fait et cause pour la Médaille. En cette année 1835, ils la font frapper à leurs frais et patronnent l'édition italienne du livre de Le Guillou[56]. Mais, pour peu que le Saint-Office s'en mêle, sous le sceau de son redoutable secret, ces influences pourraient ne pas suffire. Il faut faire quelque chose.

4. UN PROCÈS PAR CONTUMACE[57]

Monseigneur de Quélen ouvre donc un Procès pour avaliser le mouvement de grâces à sa source. Apparitions, Médaille et miracles seront examinés selon les méthodes préconisées depuis le XVIIIe siècle, par le Pape Benoit XIV[58].

Un refus

Mais un obstacle surgit. Le témoignage essentiel, c'est celui de la voyante elle-même. Catherine n'a parlé jusqu'ici que sous le secret du confessionnal[59]. Etienne lui-même ignore tout de son nom[60].

L'archevêque avait demandé à la voir, fût-ce le visage couvert, et sans chercher à percer son identité, il a essuyé un refus, il s'est incliné[61]. Le chanoine Quentin, que l'archevêque a chargé du Procès, se heurte au même obstacle[62]. Il le constate, dès le début de son rapport (1836) :

> Pour la régularité de l'enquête, c'était, sans aucun doute, de la bouche même de la Sœur que l'autorité ecclésiastique devait recevoir les détails de la vision. *C'était par elle qu'elle devait être informée* de toutes les circonstances de l'apparition du tableau. Enfin, c'était par son serment que la fidélité et la vérité de son récit devaient être assurées et garanties (N° 368, CLM 1, p. 264).

Puisqu'il définit si clairement son devoir, pourquoi donc a-t-il renoncé à ce témoignage ? C'est que le confesseur, qui avait « invité » la voyante « à comparaître devant les autorités ecclésiastiques [...], a trouvé une telle répugnance en elle qu'il n'a pu la vaincre[63] ». C'était en 1835.

Vers décembre de la même année : il a réitéré ses instances, en lui demandant cette fois, « de vouloir bien faire elle-même sa déclaration au promoteur », mais elle s'y était formellement refusée *(ib.)*.

Pour sortir de l'impasse, Monsieur Quentin a fait une dernière tentative, sans doute en janvier 1836, avant les premiers interrogatoires. Mais, sur cette ultime insistance, Aladel a déclaré,

> CHOSE ÉTONNANTE, que maintenant cette Sœur ne se rappelle presqu'aucune circonstance de la vision, et que, par conséquent, toute tentative pour obtenir d'elle des renseignements, serait complètement inutile *(ib.)*.

Ce dernier argument étonne effectivement, car l'étrange oubli[64] n'était pas une raison pour la soustraire à la comparution. Il appelait au contraire un examen sur la cause et la nature de l'oubli. Quand ? Comment ? Et pourquoi cette « amnésie » était-elle survenue ? Quelle en était l'étendue ? Était-elle providentielle, pathologique ou diplomatique ? L'argument tiré de là est d'autant plus déconcertant aujourd'hui, que

Catherine a retrouvé la mémoire, chaque fois qu'elle a dû s'expliquer. Bien plus, elle a pu écrire, longtemps après, en 1841, 1856, 1876, des récits détaillés des apparitions[65].

Les motifs d'Aladel

On entrevoit le dialogue entre le directeur, un peu raide et notre paysanne soucieuse de protéger son secret :

— *Mais je ne me souviens plus de rien !*

Il y avait sans doute du vrai dans ses paroles. Le souvenir d'un état second est fragile, évanescent, plus qu'un rêve, car il relève de la grâce d'un moment. Mais n'y avait-il pas aussi une bonne dose de prudence paysanne ?

— *Je ne sais plus... Je ne me souviens plus...*

Cette réponse ancestrale, bien programmée dans la mémoire des peuples, surgit d'elle-même, sans appel, dans les cas difficiles.

Misermont, vice-postulateur du Procès de canonisation avance un troisième argument. C'est la Sainte Vierge qui aurait prescrit le secret à Catherine. Mais ni Aladel, ni Quentin, ni Catherine n'ont jamais dit cela. C'est une tardive induction mystique ou apologétique. Si telle était vraiment la raison, Aladel ne l'aurait-il pas dit au Procès ?

Il aurait pu convoquer Catherine d'autorité, pour nécessité d'intérêt public et général, au titre même de la mission qu'elle avait assumée. Pourquoi ne l'a-t-il pas fait ? Est-ce par délicatesse vis-à-vis du secret promis ? Sans doute. Le secret lui avait paru « agréable à la Vierge elle-même, et protégé par elle », selon Monsieur Boré, son biographe (ci-dessus, p. 66).

Mais n'a-t-il pas été guidé aussi par le souci d'éviter des confrontations sur une mission qu'il avait interprétée à son idée, avec des simplifications ? L'enquête n'allait-elle pas malencontreusement et inutilement agiter quelques différends sur

des détails, soulever des discussions sur la frappe
de la Médaille, et créer des embarras peu propices
au mouvement de grâces en plein essor ?

Ce n'est pas un esprit possessif qui déterminait
Aladel à protéger le secret. Il avait gardé l'anonymat. Il ne tenait pas à être le factotum de ce
mouvement. En 1835, il avait même demandé à
partir en mission[66], au moment où la diffusion de
la Médaille et de sa *Notice* devenait triomphale[67].
Seule sa promotion de 3e assistant à l'Assemblée
du mois d'août, avait empêché son départ. Mais il
pouvait appréhender la confrontation de son épure
avec les précisions plus complexes de Catherine, et
l'altération de la discrète relation de conscience
entre confesseur et pénitente, pour les besoins de
l'enquête. Le secret protège la conduite d'une
grande entreprise. L'histoire peut d'autant moins
éviter de soulever cette question que tensions et
différends surgiront bientôt entre Aladel et Catherine, sur l'apparition même. Il y a donc là une
énigme que les bonnes paroles et les arguments
apologétiques n'ont jamais réussi à dissimuler.

Le point de vue du Promoteur

Si les motifs de silence restent flous, du côté de
Catherine et d'Aladel, ils sont entièrement clairs
du côté du Promoteur. Conscient de la nécessité
du témoignage de la voyante pour l'aboutissement
normal de l'enquête, il s'est finalement incliné
devant le secret d'une conscience et le « secret du
roi » : « Dieu ayant ses desseins en toutes choses » dit-il formellement (CLM 1, p. 264).

Sa décision se comprend dans la logique de sa
vie : jeune prêtre, à 26 ans, sous la Terreur, en
1793, il s'était trouvé placé sous l'évêque intrus et
schismatique du Loir-et-Cher. Ainsi avait-il fait
retour à la vie laïque. Il partit pour Paris, gagna
sa vie, en entrant dans une administration publique, fit une carrière de haut niveau, et profita de

sa position, pour sauver des prêtres persécutés. Au terme de la Révolution, l'Abbé Desjardins, qui les lui adressait, lui suggéra de reprendre son ministère de prêtre. L'expérience, que Monsieur Quentin s'était acquise, le fit charger « de la direction des affaires temporelles » du diocèse de Paris. Ainsi devint-il Chanoine, grand Vicaire (1833)... et Promoteur responsable des questions canoniques. Il aimait à répéter la parole que son archevêque lui avait adressée en lui confiant ces fonctions juridiques :

> — *Souvenez-vous que, dans l'Église, il n'y a pas de procureur du Roi, mais, selon l'exemple de Jésus-Christ, soyez toujours, dans votre fonction, homme de miséricorde. Cette justice là ne s'égare pas*[68].

Sa décision, regrettable du point de vue du droit et de l'histoire, relevait donc d'une instance supérieure : l'Évangile.

Ce que Catherine a évité

La vie et la sainteté de Catherine y ont trouvé leur compte. Elle échappa ainsi à une épreuve redoutable pour le psychisme comme pour ses tâches. Livrée aux juges, puis aux adversaires et admirateurs, elle eût connu les difficultés inextricables, qui réussirent mal aux voyants de la Salette. Sans doute eût-elle manifesté des ressources cachées que nous ignorerons toujours. Mais à quel prix ? Sans doute sa vie aurait-elle été abrégée comme fut celle de Bernadette[69]. Mais tels n'étaient pas sa grâce ni son choix. Elle garda l'incognito pour Dieu seul et le service des pauvres, où elle était engagée de toute son âme.

Ainsi, le Procès de la Médaille Miraculeuse fut-il pour Catherine, un Procès par contumace, au sens où ce mot signifie le *refus de se produire devant un tribunal,* non au sens étymologique où *contumacia* signifie *orgueil*. Bien au contraire, c'est à juste titre qu'Aladel et Etienne attestent : « La répugnance de la Sœur à comparaître est le fait de sa seule humilité[70]. »

L'humilité intègre ici beaucoup de prudence et de réalisme. Catherine devinait quelles avanies auraient résulté d'un autre choix, étant donné ce qu'étaient alors la condition féminine, et sa subordination.

5. DES VŒUX ET LA BLESSURE

Tandis que se déroulaient ces événements, Catherine poursuivait imperturbablement son service.

La fin d'une épreuve

A la cuisine, les vieillards appréciaient cette jeune Sœur qui les servait généreusement, quand Sœur Vincent Bergerault n'était pas dans son dos. Catherine cachait ses impatiences vis-à-vis de la cuisinière parcimonieuse, les accusait en confession, mais n'arrivait point à se résigner là-dessus. Sœur Savart eut pitié d'elle. Après deux ou trois années à Enghien, elle la fit venir, et lui dit avec un bon sourire :

— *Désormais, votre office ne sera plus la cuisine, mais la lingerie.*

Et voici Catherine, en lessive, repassage et raccommodage. C'est son affaire : un de ses métiers de paysanne. Le linge est l'honneur d'une maison. Catherine met un soin particulier à entretenir celui des pauvres : propre et bien rapiécé.

Catherine et les vieillards

Bientôt, on la met à l'essai dans la salle des vieillards-hommes, pas toujours commodes, dont

le langage et les convoitises troublent les jeunes
Sœurs. Solide et ferme, elle se fait respecter. Ce
sera désormais son emploi.

Les vœux
(3 mai 1835)[75]

On le lui a sans doute confirmé à l'occasion des
Vœux qu'elle fit, selon l'usage, au bout de cinq
ans. Le 3 mai 1835, dimanche du Bon Pasteur,
dans la modeste chapelle d'Enghien, après l'éléva-
tion du Calice, sa voix s'élève dans la petite communauté qui compte toujours cinq membres :

> *Je, Catherine Labouré, en la présence de Dieu et*
> *de toute la cour céleste, renouvelle les Promesses*
> *de mon Baptême, et fais vœu à Dieu, de pau-*
> *vreté, de chasteté et d'obéissance...*

A ces trois vœux, les Filles de Saint-Vincent-de-
Paul en ajoutent un quatrième, cher à Catherine,
et déjà bien enraciné dans sa vie :

> *... et de m'employer au service corporel et spiri-*
> *tuel des pauvres malades, nos véritables maîtres,*
> *en la Compagnie des Filles de la Charité : ce que*
> *je demande, par les mérites de Jésus-Christ cruci-*
> *fié, et l'intercession de la Très Sainte Vierge.*

Catherine a scellé ainsi ses premières années de
vaillants services, préparés par son expérience paysanne.

Un échange

Mais ce beau jour est voilé d'une ombre. L'an
dernier, le 26 avril 1834, sa sœur aînée, Marie-
Louise, qui l'avait devancée de 12 années, a quitté
les Filles de la Charité, selon la liberté que Monsieur Vincent a donnée à ses filles, de renouveler
ou non leur décision chaque année[76].
Pour Catherine, c'est un choc incompréhensi-
ble : stimulée par l'enthousiasme de Marie-Louise

dans la vocation de Fille de la Charité, elle n'avait pas été déçue. Le départ de l'aînée était d'autant plus troublant que sa vocation avait d'abord été une réussite à tous égards. Sœur Servante à 33 ans, elle disait à Catherine qui cherchait encore sa voie, son irréversible bonheur. Elle n'eût point quitté sa place, écrivait-elle, fût-ce pour être reine !

Sa lettre d'août 1831, parvenue au temps des premières armes de Catherine à Reuilly, reflétait le même enthousiasme, et l'unique souci que Catherine s'applique à tous ses « devoirs avec simplicité, naïveté, gaîté, diligence, ouverture de cœur » et qu'elle reste à la hauteur :

> Une Fille de la Charité qui a la charité [...] donne de la satisfaction à tous ceux qui l'entourent. En la voyant, on dit : Voilà l'image de Dieu ! Quelle humilité ! quelle compassion ! quelle indulgence ! quelle bonté ! L'admirateur d'une Fille de la Charité se dit à lui-même : Si Dieu est si bon dans ses faibles créatures, que sera-ce quand nous verrons ses perfections infinies ? Qu'elles sont heureuses les Filles de la Charité qui ont quelque ressemblance avec Dieu ! Il ne pourra pas les renier ! [...] Ma Chère Zoé [...], avouons que nous sommes de mauvais peintres, n'est-ce pas ? Nous ne savons que tout gâter. Que faire ? Ne pas se décourager ! [...].
> Ta sœur qui est pour la vie dans l'amour de Jésus et de Marie[77]. Marie-Louise.

Et pourtant, à cette époque, Marie-Louise était sous le coup d'une calomnie, si grave, qu'elle avait été « déposée » en 1829 : elle n'était plus supérieure. Elle était rentrée dans le rang, comme simple « compagne » : sur place, d'abord, pendant 2 ans, situation traumatisante, au contact de ses adversaires. Deux mutations tardives, à l'hôpital de Saint-Cloud, en 1832, puis de Tarbes, en 1833, étaient venues trop tard. Quelque chose s'est cassé. Le 2 avril 1834, au moment où va paraître la première brochure sur la Médaille, on la rappelle à la Maison-Mère, où la confrontation n'est pas heureuse. Les Labouré sont fiers. Ils ont la sensibilité vive et la parole impétueuse autant que laconique, dans la difficulté. Sous le coup de l'injustice, Marie-Louise s'est raidie. Elle a perdu cet élan qui donne un sens à la vie, et rend possible un quotidien austère et parfois héroïque.

Les vœux que Catherine prononce, un an plus tard, prennent une valeur d'échange... en attendant le retour. Car, Catherine prie avec une tenace espérance. Si tant de miracles arrivent quotidiennement, depuis 3 ans, dans la Communauté, pourquoi pas celui-là ? Ce choc ne l'a pas ébranlée. Forte pour deux, là comme pour le reste, elle attend l'aurore.

Jardin de Reuilly.

5.
La saison des fruits

La période qui va des vœux de Catherine et de son Procès par contumace (1836), à la guerre et à la Commune (1870-1871) n'a guère retenu jusqu'ici l'attention des historiens. Elle pouvait paraître une longue nappe de brouillard.

Et pourtant, c'est un temps de plénitude dans sa vie : la saison des fruits.

« *Au centre de la source médicale* »

Est-ce le temps heureux des gens sans histoire ? On s'illusionnerait à le penser. Son apparence de fille solide, à qui tout vient à point, se trouve démentie, par cette lettre du 11 juin 1841, où Sœur Cany lui exprime sa compassion :

> Vous vous trouvez au centre de la science médicale sans pouvoir en obtenir de soulagement[1].

Catherine a été hospitalisée, pour des « douleurs sciatiques », sans qu'on puisse y remédier. On s'étonne. Comment concilier ce handicap avec son efficacité sur tant de fronts ? Sa nièce, Léonie Labouré, qui la visite souvent à partir de 1850, confirme ce handicap physique et nous explique comment elle a résolu le problème, au-delà des plaintes :

> Elle avait mal aux genoux : c'est un mal de famille, dont je souffre moi-même. Si nous ten-

tions de la plaindre, elle répondait que ce n'était rien, et que tant qu'elle pourrait travailler, elle s'estimerait heureuse[2].

Sœur d'Aragon l'a bien perçu, elle aussi. « Sous une apparence de santé très belle, elle souffrait perpétuellement et personne ne la plaignait » (n° 1013, 22 décembre 1899, CLM 2, p 345).

Qui sème dans les larmes récolte dans la joie (Ps. 126).

Visitons donc les jardins de Catherine, étonnamment variés, des plus terre-à-terre aux plus secrets.

1. LE JARDIN TERRESTRE DE REUILLY

Une nouvelle ferme

Il y a d'abord le jardin que Catherine cultive entre la rue de Picpus et la rue de Reuilly.

Ce jardin, elle le transforme peu à peu en une sorte de petite ferme où les animaux prospèrent.

C'est probablement elle qui introduit l'élevage des pigeons, peu courant dans la région[4].

Des vaches et des comptes

C'est elle qui a instauré l'étable où il y aura deux vaches en permanence et parfois trois. Elle achète la première[5], le 19 mars 1846 : 480 F, mais doit la faire soigner, car elle est tombée malade. Elle la récupère le 18 avril et la revend 260 F, perte : 220 F. C'est noté, enregistré. Mais elle ne se décourage pas. Elle achète une deuxième vache le 10 mai : 310 F, et la revend en octobre, cette fois avec 10 F de bénéfice. La vache n° 2 a produit entre-temps 1247 pintes de lait (presqu'autant de litres puisqu'à Paris une pinte de lait fait 0,93 litre). C'est encourageant. Mais les ennuis reviennent avec la troisième vache. Catherine l'avait achetée 400 F ce même jour et doit la revendre en

octobre suivant pour 240 F : près de moitié
moins ; perte compensée par une production de
2436 pintes. Elle perd ainsi une bonne centaine de
francs, en moyenne, sur chacune des vaches.

La 14e vache redresse la situation. Catherine
l'achète 420 F, le 19 août 1851, et la revend avec
30 F de bénéfice (450 F), 6 ans plus tard, le 31
mars 1857. De 1852 à 1861, le redressement se
maintient tant bien que mal. Si Catherine revend
à perte, le déficit est minime, et il y a exception
pour la 18e vache, vendue avec 40 F de bénéfice,
le 1er juin 1855, puis pour la 24e, revendue au
prix d'achat. Mais après cela, les déboires se précipitent. Les prix montent de 3 ou 400 F à 5 et
même 600 F : des francs-or. La 27e vache, achetée
500 F, le 21 janvier 1860, est revendue le 26
novembre de la même année : « pour coses de
maladie » ; même pas à moitié prix ! La 30e et
dernière vache achetée 580 F, le 1er novembre, est
vendue à perte : 120 F de moins, le 13 octobre
1862.

La nouvelle supérieure d'alors, Sœur Dufès,
arrivée le 18 octobre 1860, s'inquiète. L'étable
grève un budget serré. Pas de Trianon chez les
Filles de la Charité ! Elle n'est pas contente, Sœur
Dufès. Elle demande des comptes. Catherine ali-
gne ses chiffres. Ils sont en ordre parfait. Mais
l'alignement met en lumière l'ampleur du déficit.
En 17 années, Catherine a perdu 3 655 francs-or
sur les achats et ventes de bétail. Bonne fermière,
elle n'est pas bon maquignon. A Fain, c'était le
travail secret du père, il ne l'y a pas initiée.
Catherine est trop droite pour jouer ce jeu. Elle
revend ainsi moins cher qu'elle n'achète. S'il y a
exception pour la 18e vache, cela tient à un accident. Catherine en était si fière qu'elle n'a pas su
le cacher dans son livre de comptes. Elle conclut
le curriculum vitae de cette bonne bête avec une
pointe de lyrisme inhabituel (en interligne) :
« Cette vache a produit 16 302 pintes de lait en 5
ans et 8 mois. » Il lui en coûte tant de se séparer

de cet animal sur son déclin qu'elle a donné au maquignon d'en face l'impression qu'il s'agit d'un vrai trésor. Ainsi a-t-elle vendu, pour une fois, au-dessus du prix, cette vache à bout de souffle.

Pas de 31e

Catherine n'a pas démissionné, à l'heure où Sœur Dufès lui demande des comptes récapitulatifs (1862). Toujours en avance d'un projet, elle avait déjà écrit sur son cahier : « *31e vache achetée le...* ». Ces mots sont restés en suspens sur la page blanche. Sœur Dufès est inflexible. Catherine obéit. Elle regrette ce lait frais, si apprécié des vieillards, et qui n'était pas comptabilisé[6].

Elle n'est pas pour autant au chômage. On voit apparaître sur son livre de comptes : des cochons[7] et des lapins[8] jusqu'en 1875.

A partir de 1861, on voit également apparaître un cheval, puis des chevaux. Le nom de l'un d'eux est connu : il s'appelait « Bibi » et il était passablement capricieux. « Un jour », raconte Sœur Levacher,

> nous devions aller en voiture à la Maison-Mère, rue du Bac : ma Sœur Vincent voulait qu'on prît les grandes voies.
>
> Parce que c'était plus facile pour le cheval qui d'ailleurs était connu pour être fort peu docile. Ma Sœur Catherine, au contraire, aurait préféré qu'on prît par d'autres chemins. Pour quelle raison ? Je ne saurais le dire au juste. Ce dont je me rappelle, c'est qu'elle dit à Sœur Vincent, avec une pointe de taquinerie :
>
> — *Voilà ! vous voulez faire voir votre cheval, votre « Bibi » ! Avec cela qu'il est beau votre « Bibi » !* (n° 988, Sœur Levacher, PO 68, CLM 2, p. 319).

La volaille reste le fond permanent de ses occupations. Comme à Moutiers, elle vend des poulets pour acheter de quoi faire tourner la ferme[9]. Les œufs passent intégralement, semble-t-il, dans la consommation de la maison. Mais c'est appréciable. En 1861, les 39 poules ont pondu 2 626 œufs[10].

Le pigeonnier est plus fourni. Rien qu'en 1864, Catherine vend 313 pigeons. Si les ventes s'abaissent à 194, en 1867 et 1868, elles remontent à 257, en 1870[11].

Bilan

Catherine a-t-elle gagné la vie de la Communauté avec sa ferme ? Oui, dans l'ensemble, car si elle a perdu pour la vente des vaches, celles-ci lui ont rapporté 97 258 pintes de lait à 50 centimes soit 48 629 F : ce qui dépasse le total des pertes (achats alimentaires : 33 859 F).

L'élevage des pigeons est également positif sur les 14 années 1861-1874, où ils sont comptabilisés : 3 656,85 F en achat de grains de maïs, 4 852,70 F à la vente, soit un bénéfice de 1 195,85 F.

L'exploitation du poulailler semble également positive pour les 4 années comptabilisées (1861-1864). L'alimentation et l'entretien ont entraîné 900 F de dépenses. La valeur des œufs est, à elle seule, de 775 F, et celle des poulets vendus de 203,50 F... sans compter ceux qu'on a mangés.

Ces colonnes de chiffres, qui résument en une page ou deux un an d'activités : fermière, poulaillère, pigeonnière, amusent Sœur Dufès. Mais Catherine qui a bien tardivement appris les chiffres, se sent comptable du bien des pauvres et sait, selon Monsieur Vincent, qu'une Fille de la Charité doit être de bon compte.

Un souvenir rapporté par Sœur Olalde illustre la saveur de cet apport dans la vie quotidienne :

> Un soir, la Sœur de la cuisine avait oublié de faire la soupe. L'heure du repas arrivait. Cette Sœur s'écria :

— *Ah mon Dieu, je n'ai pas fait de soupe !*
Sœur Catherine, sans la gronder, dit avec calme :
— *Ne vous émouvez pas, ma Sœur, je viens de traire les vaches, on va être bien content, ce soir, d'avoir du lait frais !*
Cette Sœur était précisément [Sœur Vincent, la cuisinière parcimonieuse] : celle qui la faisait souffrir.

2. SERVICES EN TOUS GENRES[13]

Les vieillards

Tout en « produisant », comme une paysanne, Catherine sert sur tous les fronts.

Après les premières armes à la cuisine, puis à la lingerie, où elle garde un œil, et coopère aux grands travaux, toujours un ouvrage à la main aux récréations, sa principale fonction, ce sont les vieillards-hommes.

Catherine est ferme, impartiale, elle fait régner un ordre qui tourne rond, et sait prévenir toute pagaille. Mais surtout, elle les aime et elle en est aimée. Son « défaut », dans ce service réputé difficile, où il faut tenir tête aux anciens gardes-chasses, valets de chambre, maîtres d'hôtel, portiers, nostalgiques de leurs livrées d'or, c'est qu'elle ne gronde, ni souvent ni longtemps, dit Sœur Dufès. Elle couche l'ivrogne incorrigible, qui rentre hors de raison, et attend le lendemain pour le raisonner. Et, quand il demande pardon, elle lui dit :
— *Ce n'est pas à moi qu'il faut demander pardon. C'est au Bon Dieu.*

Elle est bonne même avec les plus désagréables, comme si les « méchants » (disait-on alors) avaient droit à des attentions particulières, voire à une petite préférence. Elle les voyait comme ils étaient : des blessés, qui crient au secours et se cognent le front contre les murs et contre les gens, comme des enfants auxquels il faut rendre le courage et l'estime d'eux-mêmes.

Ce n'est pas que Catherine « se fasse avoir ». Non, elle a le sens de la justice. Elle est prompte à réagir si on en sort.

Elle servait généreusement et ne se lassait pas de répéter :

— *En avez-vous assez ?*[14]

Quel baume chez ces vieillards, hantés par la « peur de manquer ». Psychologue, Catherine ? Bonne, surtout ! Car elle ne calculait pas ses effets.

> Lorsque l'un d'eux ne supportait pas volontiers tel ou tel genre d'aliments, elle veillait à leur en procurer d'autres (n° 947, 15 février 1898, PO 41, CLM 2, p. 268).

L'office des vieillards était associé à la responsabilité de la loge. Catherine organisait ce service, et y payait de sa personne à ses moments libres, ou aux heures difficiles qu'il fallait assumer, sans interruption, de 7 heures du matin à 7 heures du soir. Elle maintenait ce lieu propre et sobre, sans bibelots, comme une cellule monastique.

Les pauvres

Selon ses compagnes, elle aimait « surtout les pauvres », pour elle les membres souffrants de Jésus-Christ.

Enghien.

Pour eux comme pour les vieillards, elle était spontanément pénétrée du conseil de Monsieur Vincent :

> En vérité, ce n'a jamais été le dessein de Dieu, en faisant cette Compagnie, que vous ayez le soin du corps *seulement* [...]. Mais l'intention de Notre Seigneur est que vous assistiez l'âme des pauvres malades (Cf. *MISERMONT, Ame,* p. 152).

C'était un bonheur pour elle de donner l'aumône, dit Sœur Maurel.

— *Nul ne s'est jamais plaint d'elle dans son accueil* (dit Sœur Combes, n° 982, CLM 2, p. 314).

La Noire

Un jour, vers 1860, une pauvre fille, la cinquantaine, sonne, éplorée :
— *Blaisine !* dit Catherine en l'embrassant.
C'est une ancienne compagne de Séminaire : Sœur Lafosse. Son mysticisme faisait croire à sa vocation, mais elle se révéla irrémédiablement handicapée par son psychisme désastreux. Ses élans de bonne volonté débouchaient sur des oublis, des maladresses, des impairs, et des paroles blessantes qui n'épargnaient pas Catherine elle-même. Et puis, elle avait des alternances d'exaltation et de dépression, de boulimie et de jeûne sombre. Tandis que Catherine s'enracinait à Enghien, Blaisine avait fait, en un quart de siècle, 14 maisons : un record ! Deux fois, elle avait quitté les Filles de la Charité pour y rentrer en catastrophe ; et une troisième fois, sans espoir, le 14 avril 1855.
Elle est en voie de clochardisation.
Catherine n'y va pas par 4 chemins. Elle se fait convaincante près de la Supérieure et la recueille.
Elle n'en a pas de compliment. Rien que des plaintes.

— Cette fille a perdu la tête !

— C'est un cerveau dérangé ! constatent les Sœurs à l'occasion de ses incartades.

Catherine, sans illusion, éponge les récriminations et soutient Blaisine à bout de bras. Elle seule a une influence sur celle qu'on appelle « La Noire », à cause de son humeur et des fruits de son activité. Seule Catherine peut la convaincre de manger, dans les accès de dépression où elle refuse toute nourriture, car Blaisine a su qu'elle est la voyante de la Médaille. Et elle le répète (en confidence !) quand Catherine a le dos tourné : ce qui ne facilite pas le maintien de l'incognito[15].

3. LE JARDIN FAMILIAL

Catherine n'a pas perdu le contact avec les siens : une grande famille, ce sont de grandes joies mais aussi de grands soucis qu'elle partage avec efficience.

Le 18 juillet 1835, son frère Jacques, le numéro trois, se marie et vient s'établir à Paris. Il visitera désormais Catherine deux ou trois fois par an[16]. Il lui amène ses bébés, Louise puis Léonie, née en 1842, qui sera plus tard témoin au Procès de canonisation[17].

Le 11 septembre 1838, c'est Tonine, la vaillante compagne de Fain qui se marie, bien tard. Elle a près de 30 ans. Le service du père la maintenait à la ferme, dans ce village où les partis sont rares. Elle avait hérité aussi du souci d'Auguste, le petit dernier, 29 ans, toujours infirme et fantasque. Enfin, elle épouse Claude Meugniot, marchand de bois à Viserny. Catherine est contente pour sa sœur, mais chagrine pour le père et le « petit frère ». Elle aide à le caser chez Antoine, qui achète la maison familiale, et le prend comme il est[18]. Neuf mois plus tard, le 14 juin 1839, Catherine apprend la naissance de Marie-Antoinette, fille aînée de Tonine, avec qui elle aura bientôt des relations privilégiées[19].

Mort du père

Le père ne survivra plus que 6 ans au départ de Tonine, dans une maison devenue triste et abandonnée. Il meurt le 19 mars 1844. Joseph un autre frère parisien, averti par Antoine, l'écrit à Catherine, 3 jours plus tard :

> Il était bien malade. [...] Il a été enterré hier jeudi 21 courant. Ayant été privé d'assister à ses derniers moments, notre intention est de faire dire une messe et de se réunir en famille. Je vous ferai savoir le jour[20]...

Catherine n'avait pas mesuré l'abandon de son père, mort de solitude. Elle en a le cœur meurtri. Et cela jaillira comme un cri, le 15 septembre de cette même année 1844, quand Marie-Louise, son aînée, sortie de chez les Filles de la Charité, fera le projet de retourner à Fain, « pour s'occuper d'Auguste ». Revenir à Fain maintenant que le père est mort ? Ah ! non ! La vivacité de Catherine révèle sa blessure.

> Aller prendre le soin d'un frère, cela est très bien, le monde l'approuvera. Mais il aurait approuvé aussi, il y a 10 ans, quand vous êtes sortie de la Communauté, que vous alliez *rendre les derniers services que l'on rend dans la vieillesse, à un père affligé comme était le nôtre dans sa vieillesse [...], mort éloigné quoique dans sa famille, abandonné dans sa famille même.* Le monde aurait applaudi si vous étiez allée lui rendre les derniers devoirs qu'un enfant rend à ses parents au moment de la mort [...], surtout quand on a la liberté comme vous l'aviez[21].

Catherine qui avait quitté, la mort dans l'âme, le service du père, a envié cette « liberté », pour la seule fois de sa vie.

> Ne soyez donc pas surprise, conclut-elle, si vous
> n'êtes pas bien vue dans la famille, et ne vous
> attendez pas d'y être bien reçue[22].

Catherine conjugue ici sa double peine : la
déréliction du père et la vocation brisée de la
sœur aînée : deux malheurs qui n'ont pu se rencontrer pour se réconforter.

Marie-Louise reviendra-t-elle ?

La suite de la lettre est tendue, car Marie-
Louise propose à Catherine de venir la revoir à
Enghien. Mais ce projet se heurte aux règles de
Communauté à l'égard de celles qui ont
« quitté ». Où va Catherine ? Après avoir dissuadé
Marie-Louise de rentrer à Fain, elle la dissuade
aussi de venir à l'hospice d'Enghien.

> Ma chère amie, quant à votre projet de venir me
> voir, il y aurait bien de l'inconvénient parce que
> vous êtes connue de la plupart des Sœurs de la
> maison. Je ne vous engage pas à y venir. Vous
> me dites que vous aurez un sacrifice à faire en
> me quittant. Je croyais que votre sacrifice était
> fait, il y a 10 ans, et je croyais que vous l'aviez
> fait avec gaîté. Je ne le croyais plus à faire. Le
> mien, je l'ai fait, ce sacrifice *qui m'a coûté si
> cher, et le bon Dieu connaît la peine que j'aie
> eue*. Oui, Dieu seul et Marie notre bonne Mère la
> connaissent ! Et de nouveau, elle se renouvelle
> cette peine !

Catherine parle, ici encore, à travers une blessure : la même. La mort *du* père, lointaine et
désolée, réveille le souvenir de cette mort *au* père,
par laquelle dut passer sa vocation. Cela fait
resurgir, du fond de son âme, un sens de la durée
qui est au fond de la philosophie paysanne :

> J'avais eu jusqu'alors la pensée que vous rentre-
> riez dans une Communauté. Mais *je vois le
> temps se passer et il est déjà passé*. Oui, il
> s'écoule tous les jours...

Catherine a compté ces 10 ans depuis le départ de 1834. Que sa sœur ait été blessée par des calomnies, qu'elle ait su se reconvertir honorablement et utilement comme institutrice à Paris, Catherine n'entre pas là-dedans. Elle ne se résigne pas à ce présent.

> Le temps passé n'est plus en notre pouvoir, le présent est à notre pouvoir, mais l'avenir ne l'est pas. Profitons-en, donnons-nous à Dieu et tout à Dieu, sans partage. Je vous rappelle la lettre que je vous ai écrite, il y a 6 ans [une lettre perdue] : je vous faisais les plus belles propositions. Vous avez tout refusé. Et maintenant je remets tout entre les mains du Bon Dieu et de la Sainte Vierge, votre patronne. Je vous recommande à la Sainte Vierge comme à une tendre Mère [...]. Qu'elle vous prenne sous sa protection ! Je vous prie de la prier pour moi. Adieu pour le temps et peut-être pour toujours.

Est-ce une rupture ? Où Catherine veut-elle en venir ? Elle ne le sait pas. Elle est menée ici plus qu'elle ne mène : écartelée entre les échecs persistants et l'indéracinable, entre les règles de la Communauté et son espérance. Non ! Elle ne se résigne pas à une rupture. Elle rebondit, soudain :

> Il faut ESPÉRER que nous nous reverrons, mais quand ?

L'objection, c'est la discipline. Elle y revient.

> Vous savez que, quand on est sorti de notre Communauté, on n'a plus de communication avec les personnes qui en sont sorties. Vous connaissez nos saintes Règles. Et, de ce moment-ci plus que jamais, la ferveur se renouvelle dans la Communauté comme dans le temps de saint Vincent...

Elle propose l'issue qu'elle a finalement trouvée non sans peine — et sans faire pression :

> Notre bonne Mère me charge de vous dire mille choses de sa part. Elle est toujours prête à vous rendre tous les bons services qu'elle pourra vous

rendre et en toute occasion vous pouvez compter
sur ses bontés. Elle vous aime toujours et se fera
un plaisir de vous rendre service. Si cependant
vous avez quelque chose à nous communiquer,
vous pouvez venir n'importe quel jour dans la
semaine, excepté jeudi prochain. Vous savez nos
heures libres. Écrivez-nous le jour et l'heure que
vous pourrez vous rendre dans la communauté
des Dames blanches, dans notre rue [de Picpus],
n° 15 [...]. Il y a une chapelle au fond de la
cour, où vous nous attendrez. Vous aurez la
bonté de *dire au Frère que vous nous attendez,
ma Supérieure et moi.*

Adieu, ma bonne sœur, je vous embrasse de
tout mon cœur et suis, pour la vie, votre Sœur
toute dévouée.

La fierté de Marie-Louise réagit mal à cette lettre. Le côté négatif durcit sa raideur. Eh bien
oui ! Elle retourne à Fain soigner son frère. C'est
là que Dieu et la charité trouveront le mieux leur
compte !

Quelle assurance pousse donc Catherine ? Elle
insiste. Elle écrit de nouveau, le 29 septembre[23].
Elle vient de relire la lettre enflammée que Marie-
Louise lui avait envoyée à l'orée de sa vocation,
en 1829 : un hymne enthousiaste à la vie des Filles
de la Charité (ci-dessus p. 32).

Catherine recopie la lettre, et renvoie l'original
à Marie-Louise, pour la confronter avec elle-
même, à l'heure où Dieu parlait ainsi en elle. La
tension est assez forte pour que Catherine oscille
entre le *Vous* et le *Tu* en s'adressant à sa sœur,
doublement sœur, en fille de Pierre Labouré et de
Monsieur Vincent, un mois après l'élection de M.
Etienne qui redonne une telle flamme aux deux
familles spirituelles :

Je TE renvoie une lettre qui VOUS fera sans doute
plaisir. Vous me [l']écrites au moment où je voulais entrer dans notre Communauté [...].
Les bons conseils que vous m'avez donnés, maintenant appliquez les vous à vous-même, et méditez bien ces paroles [...]

> *Si en ce moment une personne était assez puis-*
> *sante pour m'offrir de posséder, non un*
> *royaume, mais tout l'univers, je regarderais cela*
> *comme la poussière de mes souliers, étant bien*
> *convaincue que je ne trouverais pas, dans la pos-*
> *session de l'univers, le bonheur et le contente-*
> *ment que j'éprouve dans ma chère vocation.*

Dans le feu de sa plaidoirie, Catherine ajoute le mot *chère* qui n'était point dans l'original. Elle enchaîne, en deuxième page :

> Vous l'avez préféré ce bonheur, à quoi ? Je n'ose
> le dire ! A une tentation.

Elle se fait accrocheuse et sévère, Catherine, tant il lui paraît clair que la lumière de Dieu et l'avenir sont là, au-delà de ses raidissements. Se prend-elle pour Dieu à faire ainsi la leçon ? Non, elle se la fait à elle-même. Après le *tu* et le *vous,* c'est le *nous* qu'elle emploie, pour parler d'humilité :

> Il faut avouer que NOUS sommes faibles, quand
> NOUS ne mettons pas toute notre confiance en
> Dieu qui connaît le plus profond de nos cœurs...

Catherine attaque le dernier retranchement de Marie-Louise, la dernière défense que sa tête dresse contre son cœur, en faisant endosser à Dieu ses projets de fuite.

> Dans presque toutes vos lettres, vous me parlez
> de *miracle,* comme si le Bon Dieu les faisait à
> propos de rien. NOUS sommes de bien pauvres
> créatures pour espérer que le Bon Dieu NOUS
> accorde des miracles !

Non, Catherine, qui s'y connaît, ne croit pas aux miracles, à tort et à travers, à la couleur de ses désirs.

Elle continue :

> [C'en serait] un, quand vous êtes sortie de la
> communauté ! Hélas ! Dieu le sait, si c'en est
> un ! Notre Seigneur et la Sainte Vierge et tous

les saints ont-ils prôné leurs miracles ? Où est
NOTRE humilité ? Elle est bien éloignée de la leur.
Ou, disons mieux, NOUS n'en avons pas du tout.

La finale est un encouragement ironique à la
fuite :

Adieu, je T'engage à aller dans la maison paternelle. VOUS serez dans la solitude, et c'est là que
le Bon Dieu parlera à VOTRE cœur.

Ce qui émerge ici, dans le cœur de Catherine
engagée en ce combat de Jacob, c'est la double
mort qui l'a marquée, qui l'a fait rebondir si loin,
vers Notre Dame et Notre Seigneur.

Cela fait rebondir sa lettre rendue au bas de la
page 2. Elle la prolonge en travers de la première
page :

Méditez bien la mort de notre mère, que vous
avez vue, et celle de notre père, qui est encore
toute récente [...]. C'est le meilleur moyen de
trouver grâce devant Dieu (n° 532, CLM 1,
p. 319).

C'est ce qui arrivera.

Marie-Louise accourt bientôt au rendez-vous de
la rue de Picpus. Tout se résout doucement, sans
doute, avec Sœur Montcellet, la Supérieure efficace qui donne le premier essor à la maison, du
côté des quartiers misérables du faubourg.

Le 26 juin 1845, le Conseil accepte de réintégrer
Marie-Louise chez les Filles de la Charité : « *vu
les circonstances existant du temps de sa sortie et
son édifiante conduite depuis* ». Elle reprendra
l'habit à Enghien. Elle a 50 ans. C'est donc dans
la communauté de Catherine qu'elle abandonne
l'habit civil et retrouve la coiffe ailée, probablement le 2 juillet, en la fête de la Visitation.
Catherine a tant prié pour cela ! Quelle joie que
cette « visitation » pour les deux sœurs, réunies
dans le sillage de Notre Dame et de Monsieur
Vincent ! Une joie cachée au fond du cœur, au-
delà des mots[24].

Mais c'est le seuil d'une nouvelle séparation. Le 2 juillet même, Marie-Louise reçoit son affectation à Turin, avec 3 autres Sœurs, sur décision de M. Etienne. Elle arrive le 19 à la communauté de Saint Sauveur. Elle servira comme ambulancière pendant la Guerre d'Italie, et ne reverra Catherine qu'en 1858, lorsqu'elle sera rappelée à la Maison-Mère, rue du Bac.

Démêlés avec un artiste

Vers 1855, voici un nouveau venu à Paris, c'est Antoine-Ernest, fils de Charles, marchand-de-vin-restaurateur, chez qui Catherine a fait l'épreuve de sa vocation. Il débarque de Semur-en-Auxois, pour continuer ses études. Catherine regarde ce pigeon voyageur d'une vingtaine d'années, « l'air d'un artiste », violoniste à ses heures, mais très doué. Ne voilà-t-il pas qu'il se fait admettre comme membre de l'Orchestre à l'Opéra ? Dangereuse capitale pour une telle nature ! Cette fois, Catherine est paniquée. En lui envoyant ce fils unique, son frère ne lui en confie-t-il pas la responsabilité ? Les scrupules que cultivait l'Église d'alors, s'abattent soudain sur elle. Le neveu loge tout près, grâce à elle sans doute. Elle va le voir en mère-poule.

Il n'aime pas trop cette cornette en inspection. Un matin — tard pour Catherine qui se lève à 4 heures, tôt pour lui, l'oiseau de nuit — elle le trouve *encore* au lit, la table garnie de bouteilles vides et de verres sales. Son anxiété éclate :

— *Alors, tu fais la noce ! Tu reçois des femmes ici !*

— *Non, rien que des amis !*

Il ajoute froidement :

— *Je suis ici chez moi. N'y revenez plus.*

Né en 1834, Antoine-Ernest est majeur maintenant et Catherine sait ce que cela signifie. Elle a usé de ce titre, face à son père. Elle comprend son erreur ; elle n'y remettra plus les pieds[26].

Il viendra à Enghien au début de 1861, pour lui présenter sa femme : Claire Letort. Le mariage avait été célébré à Puligny, en Bourgogne, le 14 janvier 1861 et, en guise de voyage de noces, Antoine-Ernest a repris ses remplacements à l'Opéra pour offrir à sa jeune épouse un agréable hiver : une expérience sans déception qu'il renouvellera les années suivantes. Mais il ne revoit guère sa tante. Il oubliera même de lui présenter son aîné, Charles-Antoine, né le 8 juin 1863. Catherine est maintenant accaparée par Tonine et ses enfants. Antoine-Ernest et Claire en prennent ombrage et préfèrent Marie-Louise, revenue maintenant à la rue du Bac.

Tonine à Paris

Ce souci de Catherine pour la famille de Tonine, c'est toute une histoire qui aurait fait un mauvais roman tant elle est invraisemblable.

C'est en 1857, que Tonine est arrivée à Paris[27], deux ou trois ans après le neveu violoniste. La capitale a toujours attiré les Labouré. Son mari, homme capable et généreux, a vendu son commerce de bois et de grands vignobles. Il avait la faiblesse de ne pouvoir supporter le moindre alcool, ce qui était difficile dans sa profession. La moindre erreur le rendait fou, Tonine en souffrait. Pour s'arracher à ce cercle infernal, il avait liquidé ses affaires et trouvé une situation aux chemins de fer.

C'est une joie pour Catherine de retrouver la confidente de ses premières années et de faire connaissance de ses 3 enfants : Marie-Antoinette, 18 ans, Charles-Albert, 17 ans, Philippe, 13 ans.

En 1858, elle fait recevoir l'aînée parmi les Enfants de Marie à Reuilly, par M. Aladel lui-même. Elle est là, les larmes aux yeux[28].

Vocation de Philippe

En mars 1858, au temps des apparitions de Lourdes, elle apprend, par Tonine et Marie-Antoinette, que Philippe fait un séjour chez le curé de son village :

— *Est-ce que tu veux être prêtre ?* lui demande-t-elle, quand elle le revoit.

— *Je crois que c'est ma voie,* répond Philippe qui a bientôt 14 ans, *mais je ne peux rien promettre.*

Quelque chose l'attire. Mais il maudit le latin que le « bon curé » du village veut lui apprendre. Ce pensum le ferait douter de sa vocation ! Etre prêtre ? oui ! entrer dans ces arcanes ? ah non !

Il passera cet obstacle.

Catherine obtient des Lazaristes qu'ils prennent en charge ses études au collège de Montdidier (Somme), grâce à l'aide financière d'une compagne. Elle se sent comptable de cette aide. C'est pourquoi elle dit un jour à Philippe

— *Si tu n'avais pas l'intention d'entrer dans l'état ecclésiastique, il faudrait me le dire*[29].

Il a 17 ans, et n'oubliera pas cette provocation insolite qu'elle lança vers la fin de ses études :

> — *Si tu veux entrer chez ces Messieurs, on te recevra. On peut y être nommé bientôt supérieur, puis aller en Chine, comme le Père Perboyre. On peut voyager, voir du pays. On peut aussi revenir.*
>
> Elle a dit cela d'un air malin, comme si elle avait lu dans l'avenir. Je pris cela comme une plaisanterie, mais le tout s'est réalisé à la lettre et dans l'ordre même qu'elle m'avait indiqué.
>
> Le 9 août 1863, elle m'accompagna à mon entrée à Saint-Lazare. Dans l'intervalle, elle m'avait conduit faire une visite au Père Etienne, Supérieur général. Elle a agi en tout avec la plus délicate charité et avec l'assentiment de ses Supérieurs [...], mais *sans jamais exercer sur moi la moindre pression*[31].

Elle a compris. Il faut respecter les libertés, quitte à modérer son zèle.

Morts et conversions

Entre temps, Claude Meugniot, père de Philippe a été tamponné par une locomotive, en janvier 1861. C'est un calvaire de 33 mois qui commence. En bourgeois de ce temps, Claude est un peu mécréant. La religion est l'affaire des femmes. Catherine s'en soucie. Elle visite son beau-frère, mais ses idées sont simples et définitives :

> — *Ce n'est pas la peine ! Nous avons une sainte dans la famille. Nous ne serons pas damnés.*

Catherine (la sainte...) l'encourage pourtant :

> — *Je prie pour vous, mais priez aussi !*

Claude reste sceptique :

> — *Elle veut me convertir, Zoé ! Mais elle n'y arrivera pas !*

Il ajoute sans acrimonie :

> — *C'est tout de même une brave fille.*

Philippe revient sans cesse sur la santé de son père, dans sa correspondance. Il veut des nouvelles qu'on tend à lui cacher, car elles ne sont pas bonnes.

A l'automne 1862, le médecin ne laisse plus d'espoir. Pourtant sa santé s'améliore, à leur étonnement. Marie-Antoinette vient en faire part à Catherine :

> — *Tu vois, répond-elle, il ne faut jamais désespérer.*

C'est alors que Claude, touché de cette rémission, se convertit. Il devient dès lors « un modèle de patience », atteste sa fille Marie-Antoinette. Il survivra un an, souvent debout. C'est l'ultime répit. Il meurt le 26 octobre, rue de Châlon.

> Nous avons toujours pensé, en famille que sa conversion était dûe aux prières de ma tante, confie sa fille Marie-Antoinette Duhamel[32].

Elle assiste ses frères au fur et à mesure de leur mort : Jacques en 1855. Elle lui remet au cou la Médaille miraculeuse. Puis, c'est Antoine, descendu chez les Meugniot, lorsqu'il se fait opérer à Paris, avant de mourir à Fain, en 1864...

Amérique et veuvage

Le 15 octobre 1864, Marie-Antoinette Meugniot se marie[36]. Elle a 25 ans. Elle épouse un brillant garçon, Eugène Duhamel, 32 ans : le charme des hommes aventureux. Comme feu son beau-père, il fait carrière dans les chemins de fer, où il a une jolie situation.

Un an plus tard, le 4 août 1865, naissance de Marthe[37] : l'aînée de cette nouvelle famille. Catherine ne tarde pas à la voir, car les Duhamel habitent aussi dans le 12e arrondissement, où l'Empire a intégré l'ex-village de Reuilly.

En décembre 1866, Marie-Antoinette est sur le point d'accoucher d'un deuxième enfant, et voici qu'Eugène disparaît soudain.

Assassinat ? La police enquête, recherche le corps un peu partout.

En vain. Marie-Antoinette prend le deuil.

Le 22 janvier 1867, naissance de Jeanne-Caroline. Les pleurs du bébé tarissent ceux de la mère qui prend vaillamment sa tâche en main[39].

Les deux mères-courage de Fain, Tonine et Catherine sont là, de pied ferme : Catherine, avec sa foi intrépide en Dieu qui arrange tout, même l'impossible ; Tonine, avec son bon sens et son bagage d'amères expériences. Elle dit un jour à Catherine :

> — *Si j'avais su ce qui devait m'arriver, je me serais faite religieuse comme toi.*

Et Catherine de répondre :

> — *Chacun sa vocation ! Tu n'aurais pas la consolation d'avoir donné un fils à Dieu*[40].

Catherine ne s'en tient pas aux conseils spirituels. Elle s'occupera de ses petites nièces dont l'éducation d'orphelines posera tant de problèmes, financiers au premier chef[1]. Car les frères Meugniot, du premier mariage, restent indifférents à leur demi-sœur. Catherine apportera une aide suivie[41] et saura intéresser sa supérieure à cette situation dramatique (n° 961, Léonie Labouré, CLM 2, p. 283).

« Deux ans » après le drame, Marie-Antoinette est convoquée au Ministère des affaires étrangères.

> — *Madame, c'est au sujet de votre mari.*
> — *Oui Monsieur, il est mort...*
> — *Non Madame, il est vivant !*

Marie-Antoinette tombe évanouie. Elle apprend la suite de retour chez elle. Un ami avait eu la surprise de rencontrer en Amérique, Eugène qu'on croyait assassiné : il avait monté une blanchisserie considérable. L'ami avait informé le Ministère des affaires étrangères, n'osant parler à la famille.

Que s'était-il passé ? Eugène avait, un beau jour, pris le train pour le Havre, d'où il était sollicité pour un beau poste en Amérique. Un navire partait. Il s'y embarqua comme un fou. Et c'est seulement lorsque la terre d'Europe disparut à l'horizon, qu'il réalisa sa folie.

A l'arrivée, un mois plus tard, il ne voyait plus d'autre issue que de refaire sa vie sur le nouveau continent, avec l'espoir de revenir aux siens, illustré par la réussite et la fortune. C'était l'Amérique de la reconstruction, après la guerre de sécession, l'assassinat de Lincoln et l'abolition de l'esclavage (1869). Le Nord attirait alors des immigrants solides, pour confirmer sa prépondérance et sa victoire.

Mais pourquoi donc Eugène était-il parti ? Mésentente ? Nullement. Il était un mari délicat et empressé. Histoire de femme ? Non. Histoire de mère : une mère possessive. Il était le dernier de la famille. Veuve, elle s'était cramponnée à lui comme à son dernier rempart contre la solitude : le petit mari de ses vieux jours. Pour le mieux garder, elle s'était fait prendre en charge financièrement par lui comme par son époux défunt, « avec des goûts de dépense » peu « en rapport avec la situation ». Malgré sa jolie situation, Eugène était en mal de pourvoir aux *deux* maisons : surtout celle de sa mère, plus dispendieuse. Marie-Antoinette aimait son mari. Elle avait cru naïvement qu'elle gagnerait sa belle-mère à force de gentillesse. Tous les mois, elle lui remettait (sans même le dire à sa propre mère, Tonine) « une enveloppe contenant une partie de ses appointements ». Mais là n'était pas le problème. La belle-mère harcelait le fils, en lui faisant miroiter les merveilles de l'Amérique et les propositions mirobolantes, venues de là-bas : elle préférait obscurément perdre ce fils que de le partager avec sa belle-fille.

Eugène tentait de tout concilier : partir là-bas *avec* Marie-Antoinette. La jeune épouse, ignorant d'où venait la pression, tentait de raisonner son mari :

— *Prendre le bateau, enceinte, avec Marthe, une enfant de 17 mois ? Ce serait pure folie !*

Faible et déchiré entre les deux femmes — la mère et l'épouse — Eugène était parti pour échapper à l'obsession de cet écartèlement, grisé aussi par l'appel du voyage. Le remords et la honte le déchiraient. Il tente de les tromper par le travail, il caresse l'idée de revenir se justifier par une fortune qui fera le bonheur des siens[42].

Anticipons l'épilogue, qui nous reporte après la mort de Catherine. Onze ans après son départ, Eugène revient pour l'Exposition de 1878. Il a

monté un stand, « achalandé par deux négresses ».
Il a fait fortune. Il renoue avec ses amis et n'ose
se présenter devant son épouse. On comprend !
Mais le désir le brûle de revoir ses enfants.
L'école prévenue, élude ses demandes. Il guette la
sortie. Il aborde sa plus jeune fille, Jeanne :

— *C'est Adrienne ?*

Il avait fixé ce nom avec son épouse, avant la
naissance. Mais les événements en avaient disposé
autrement.

— *Non ! Jeanne !*
— *Mon enfant, voulez-vous me permettre de vous
embrasser ?*

Tout un monde l'assaille et le remue : un
immense désir de faire quelque chose pour sa
femme qui a perdu toute confiance en lui, pour
ses enfants abandonnées avec de faibles ressources.
Il repart pour New-York en échafaudant des projets de transferts et munificence.

Mais les fortunes se font et se défont vite outre
Atlantique. Un incendie dévore tout le quartier
qu'il a édifié en maisons de bois. Il n'est pas
assuré. Sa santé ne résiste pas au choc. Il revient
malade, l'air d'un octogénaire, à 57 ans. Marie-
Antoinette a refusé argent et reprise de vie commune, après cet abandon, pour elle inexplicable.
Elle se sent forte. A cette date, Catherine n'est
plus là. Elle est passée du poulailler au paradis.
Marie-Antoinette refuse de revoir le mari contrit.
Ce sont ses deux filles qui l'entraînent dans la
chambre de clinique. Eugène, en ruines, se laisse
tomber de son lit. Il se jette à genoux, en pleu-
rant, aux pieds de son épouse. Il mourra, peu
après, le 14 septembre 1889[43].

Mais, revenons au temps de la vie de Catherine.

Le 22 mai 1869, Philippe Meugniot est ordonné
prêtre à Saint-Lazare. Une grande joie pour
Catherine.

Abondance de fruits

Les fruits ont abondé dans les jardins familiaux. Secours matériels pour Marie-Antoinette. Catherine l'a sauvée du désespoir et de la misère. Elle l'aide à devenir une femme forte, mère et père à la fois de ses deux orphelines, avant d'être, pour la troisième génération une aimable et matriarcale grand-mère.

Deux vocations se sont accomplies grâce à elle : celle de Marie-Louise, renouée ; celle de Philippe, éveillée, soutenue jusqu'au bout.

Des réconciliations avec Dieu pour ses frères et beau-frère, mécréants ou mal croyants, persuadés qu'il suffisait d'une « sainte dans la famille ».

A retrouver tant de petits faits, ensevelis dans l'oubli, on s'étonne qu'elle ait tant fait pour sa famille. Et pourtant, ce n'était jamais au détriment du devoir d'état.

Un jour, Marie-Antoinette Duhamel vient la voir. Catherine est en train de traire les vaches. Elle continue de faire gicler le lait tiède dans le seau de lait mousseux et dit à sa nièce, avec un regard implorant, de dessous la vache :

— *Tu vois comme je suis !*

Mais, la traite achevée, elle est là et bien là.

La fidélité de Catherine à son devoir, a parfois irrité les siens. Pour elle, son office, c'est tout ! Léonie Labouré le sait, elle s'arrange pour venir « au moment de la récréation ». Mais il fallait parfois chercher Catherine :

— *Je suis presque sûre qu'elle est à la chapelle,* disait Léonie. *Je vais aller voir !*
Et, de fait, c'est là que je la trouvais presque toujours (CLM 2, p. 284).

Elle remuait pour se faire remarquer. En vain. Catherine, les yeux fixés sur le tabernacle, semblait transformée en statue. Elle était toute à

Dieu. Quand elle avait terminé, Léonie faisait la
moue :

> — *Il y a longtemps que je vous attends.*

Catherine répondait :

> — *Tu n'étais pas dans la rue, tu étais près du
> bon Dieu. On n'y est jamais trop*[44].
> *Elle était très ponctuelle, car elle nous congédiait
> dès le premier coup de cloche,* ajoute Léonie
> (CLM 2, p. 282).

4. LES JARDINS DE MONSIEUR VINCENT

Les jardins qui fleurissent le mieux durant cette
période, pour la joie de Catherine, ce sont ceux
de Monsieur Vincent, en ses deux « familles » :
Lazaristes et Filles de la Charité.

Catherine, éveillée à sa vocation par un merveilleux songe, avait été sensible aux décadences post-
révolutionnaires[45]. Notre-Dame lui avait donné
mission d'intervenir près de son confesseur pour
qu'on en sorte :

> La Règle n'est pas observée. La régularité laisse à
> désirer. Il y a un grand relâchement dans les 2
> Communautés. Dites-le à celui qui est chargé de
> vous, etc.[46].

Premiers redressements

Guérisons, conversions, traits de protection
créent un climat nouveau. L'impossible surgit,
chaque jour. L'événement nourrit les conversations
et la prière :

> — Vous ne savez pas ce qui est arrivé... ?

Les réformes progressent. Plus d'accommode-
ments, ni de triche. Bottines, soie et soucis de toi-

lette, disparaissent. En 1834, Mère Boulet a rétabli l'uniformité : habit gris, cornette standard et la régularité en toutes choses[47].

Lumières de Retraite

Le 25 mai 1838, après une conférence, entendue rue du Bac sur le saint Nom de Marie, Catherine note cette résolution :

> La prendre pour modèle au commencement de toutes mes actions [...]. Réfléchir si Marie a fait cette action, comment et pourquoi l'a-t-elle faite, dans quelle intention. Oh ! que le nom de Marie est beau et consolant[48] !

La retraite prêchée par Monsieur Aladel, à la fin du mois de Marie 1843 « élargit ses horizons ». On y perçoit un souffle sans égal. Au début, deux perceptions :

> Marie debout au pied de la croix,
> Marie au Cénacle avec les Apôtres.
> Attendre en silence les dons de l'Esprit, note Catherine. Marie était dans le Cénacle, avec les Apôtres. Elle gardait le silence attendant la descente de l'Esprit. Quelle leçon ! Marie est notre exemple [...] O Marie, faites que je vous aime, et il ne sera pas difficile de vous imiter (Notes de retraite, p. 74).

A travers Marie, elle entrevoit que le service des pauvres conduit à une « mort douce » (p. 76) :

> Marie a aimé les pauvres, et une Fille de la Charité qui aime les pauvres, n'aura pas de crainte de la mort. Elle éprouvera une grande consolation parce qu'elle aura bien servi les pauvres. On n'a jamais entendu dire qu'une Fille de la Charité qui a aimé les pauvres, ait eu des craintes effrayantes de la mort. Au contraire, on l'a vue, remplie des plus douces consolations, faire la mort la plus douce.

Résurrection

Le 4 août suivant, Monsieur Etienne est élu Supérieur des deux Congrégations[52]. Il a 42 ans. Le 15 août, jour de l'Assomption, il clôt l'Assemblée en renouvelant l'acte de confiance à Marie, prononcé pour la première fois, le 15 août 1662, deux ans après la mort du fondateur. Cet acte dérivait de celui que les Filles de la Charité prononçaient dès 1658, du vivant de Monsieur Vincent, en la fête de l'Immaculée Conception.

> Nous avons recours à vous [...]. Qu'il vous plaise de nous recevoir toutes en général, et chacune en particulier, sous votre sainte protection [...], et de nous impétrer de [l']infinie bonté ; que la petite Compagnie des Filles de la Charité de qui nous sommes les membres, vous tienne toujours pour sa vraie et unique Mère[53].

Dès sa première circulaire, en date du 8 septembre 1843, le nouveau Supérieur général évoque ouvertement les apparitions, comme source de la grâce qui soulève maintenant les deux familles de Monsieur Vincent. Catherine a dû tressaillir intérieurement, là où il disait :

> Je ne puis méconnaître une intervention bien manifeste de l'Auguste et Immaculée Marie qui nous a donné des gages [...] si extraordinaires de sa tendresse [...]. C'est sa puissante médiation qui a obtenu de Dieu que nos deux familles ne périraient pas au milieu des malheurs qui les ont accablées et qu'Il s'en servirait pour ranimer la foi. Pouvons-nous attribuer à une autre cause ces vocations, si *incompréhensiblement nombreuses,* qui se manifestent de toutes parts [...], ces développements si prodigieux [...] de votre Compagnie au sein même de la tempête[54] ?

L'année suivante, le 4 août 1844, jour anniversaire de son élection, Monsieur Etienne précise sa pensée dans une lettre de 40 pages : l'influence des visions de Catherine s'y fait plus apparente encore[55].

Son action de grâce éclate, lorsqu'elle écrit à sa sœur, le 15 septembre 1844[56] :

> En ce moment, plus que jamais, la ferveur se renouvelle dans la Communauté, comme dans le temps de Monsieur Vincent. S'il y a eu des abus, maintenant, *tout* se renouvelle !

Oui, Catherine n'a pas peur de répéter ce mot *renouveler*, ni de dire : *tout*. C'est une rénovation par la racine, par l'intérieur, elle atteint toute la vie, de proche en proche : la prière, les relations humaines, l'initiative, la générosité, l'efficacité.

En mai 1845, la nomination de Mère Mazin à la tête des Filles de la Charité accentue ce mouvement. Une Sœur lui rend ce témoignage :

> On se croyait revenu au temps heureux où notre Vénérable Louise de Marillac jetait, sous la conduite du Saint Fondateur, les premiers fondements de la Communauté naissante [...]. Les désirs des Supérieurs, à peine connus ou soupçonnés, étaient partout accueillis avec soumission et accomplis sans résistance. Qu'il était beau le spectacle qu'offrait alors la Maison-Mère ! La piété, le recueillement, l'union, en faisaient un lieu de délice et la sérénité répandue sur tous les visages révélait la félicité commune[57].

L'action de grâce submerge les deux familles, emportées dans un renouveau à la fois qualitatif et quantitatif. La force du gouvernement de M. Etienne, c'est qu'il accorde une priorité à l'élan charismatique, donné par grâce, mais en l'alliant avec l'observance, en sorte que la flamme et l'ordre règnent en fructueuse harmonie : celle-là même qui inspire la vie de Catherine.

Le 1er janvier 1855, M. Etienne exprime l'avis général en écrivant[58] :

> La Compagnie, péniblement relevée de ses ruines, n'avait qu'une bien faible et stérile existence, et elle avait bien peu d'espoir de jamais reprendre

la belle place qu'elle avait occupée dans l'Église, lorsqu'*une voix mystérieuse lui annonça que Dieu se servirait des deux familles de saint Vincent pour ranimer la foi.*

« La Voix » dont parle M. Etienne, c'est celle que Catherine a entendue. Il continue :

Peu après, eut lieu, dans la chapelle de la Maison-Mère des Filles de la Charité, *l'apparition de Marie Immaculée qui donna naissance à la Médaille Miraculeuse.* Cet événement eut lieu en 1830. Ce fut alors que commença une ère nouvelle pour la Compagnie.

Auparavant, malgré les efforts que Monsieur Etienne énumère ici,

elle apparaissait toujours impuissante à se relever, et ne plus conserver de son ancienne vie qu'une dernière lueur qui semblait devoir bientôt s'éteindre. Les vocations y étaient rares et inconstantes. Elle ne comptait en France que quelques maisons languissantes, et dans les pays lointains, que quelques maisons délaissées où d'anciens Missionnaires achevaient tristement une carrière apostolique qui n'avait été remplie que de larmes et de douleurs, sans même qu'elles eussent pu être adoucies par la consolation de l'espérance. Mais après cette apparition de l'Immaculée Marie, tout changea de face. La vie sembla renaître dans son sein. Dès 1831, des colonies de Missionnaires animés du zèle le plus pur et le plus ardent, traversèrent les mers et allèrent, dans le Levant et dans la Chine, renouer avec nos missions étrangères la chaîne des générations que la Révolution avait rompue.

Un hymne de reconnaissance au double sens de ce mot : reconnaître et rendre grâce !

Monsieur Etienne évoque l'expansion mondiale qui a suivi ce changement qualitatif[59]. Les effectifs du Séminaire ont monté : d'une petite centaine à plus de 500. Il faut construire un gigantesque bâtiment pour les abriter. Il ne suffit pas. Il faudra décentraliser la formation dans les différents pays et provinces.

Chez les Lazaristes, le mouvement est analogue. Les maisons agonisantes reçoivent du sang neuf : un afflux de jeunes. Il faut fonder à tour de bras, en nommant de jeunes supérieurs, qui entrent en charge à peine leur formation terminée : en 1839, les Pères fondent en Chine, et les Sœurs, à Smyrne. En 1842, à Alger, etc.[60].

Monsieur Etienne constate :

> *Tout cela s'est fait durant les 24 années qui nous séparent de l'apparition de l'Immaculée Marie. Qui ne verrait là une intervention merveilleuse du Ciel ? Qui n'éprouverait pas le sentiment d'admiration qu'éprouvait saint Vincent et ne dirait avec lui : Le doigt de Dieu est là ?*

La conclusion échappe au triomphalisme par le chemin même du Fondateur :

> Tout cela repose sur un fait essentiel aux enfants de saint Vincent : *la vertu d'humilité.*

Les deux familles vincentiennes ne sont qu'un instrument, mais le rayonnement de la Médaille est mondial. Son expansion est incalculable : de l'ordre du milliard. Les nouvelles de conversions se multiplient.

Tout cela, Catherine le perçoit.

En 1837, une lettre du père Perboyre, missionnaire en Chine, que Catherine estime beaucoup, raconte comment la Médaille a libéré une femme aliénée, peut-être possédée.

Dès le début de 1842, Catherine a eu connaissance d'une nouvelle qui se répand comme une traînée de poudre : toute la presse en parle. Un jeune banquier juif, alsacien, nouvellement fiancé, venu à Rome avec un œil critique sur le Catholicisme, avait accepté la Médaille sur le défi d'un ami français : Théodore de Bussières. Et il se convertit soudainement, dans l'église Sant' Andrea

delle Fratte. La Vierge lui est apparue, comme sur la Médaille : *Elle ne m'a rien dit, mais j'ai tout compris,* dit-il. Le Pape Grégoire XVI reçoit le converti du 20 janvier, dès la fin de ce mois. Le Cardinal Vicaire fait de la conversion un Procès officiel, en forme canonique, comme on sait les faire à Rome. Tous les témoins y ont parlé : de l'ami, aux prêtres confidents et au sacristain[61].

Alphonse Ratisbonne, qui entre dans les Ordres, demande à voir la Sœur qui a eu, la première, cette même vision. Il voudrait en partager et confirmer la grâce. Mais Catherine a fait son choix : celui de la discrétion et du travail. Elle refuse[62].

Essor et problèmes de Reuilly

A Reuilly, la communauté où vit Catherine, le renouveau mondial prend corps dans un quotidien laborieux.

La maison est implantée dans une situation étrange, dont la noble fondatrice ne se faisait point idée :

— *Une véritable Chine,* dira bientôt Sœur Dufès.

Fondé et subventionné par la proche famille du Roi Louis-Philippe, le vaste bâtiment neuf se

Conversion de Ratisbonne : 20 janvier 1842.

dresse dans un quartier de misère, effervescent. Les filles de Monsieur Vincent y travaillent en essayant d'être toutes à tous, sans perspectives politiques, soucieuses des seules exigences de l'Évangile. C'est toute l'aventure de la maison de Reuilly, elle prendra bientôt une forme dramatique[63].

Sœur Savart, la première supérieure de Catherine (1819-1844)[64], ne s'était pas enfermée dans sa propriété comme dans une île. Catherine en avait gardé un lumineux souvenir.

— *C'était une bonne ancienne, disait-elle, qui voulait que chaque année les premiers fruits du jardin fussent portés à des familles indigentes du faubourg ou à ses bons vieillards ; les Sœurs ne pouvaient y toucher qu'après eux.* Elle la garda 13 années, jusqu'à sa mort, le 29 décembre 1844 (n° 656, CLM 2, p. 101).

Sœur Montcellet, qui lui succède en 1845, ouvre l'ère des fondations au service du quartier.

En 1849 — l'année du choléra — elle établit, à l'autre bout du jardin, l'œuvre de *La Providence Sainte Marie :* des classes et un asile, construits mais non payés, qui accueillent la misère physique et morale, y compris celle des enfants ouvriers, affreusement exploités. En 1850, elle fonde un petit internat pour les orphelines du choléra. L'année suivante, elle est nommée Supérieure générale (9 juin 1851)[65].

Sœur Mazin, ancienne Supérieure générale, la remplace, pendant quelques mois seulement (1851-1852)[66].

Sœur Randier lui succède de 1852 à 1855 : une maîtresse femme, qui allie, comme pas une, la tête avec une générosité inventive. Cette quatrième supérieure, Catherine l'aime bien, mais elle lui est bientôt enlevée[67].

Sœur Guez lui succède (1855-1860) : femme avisée qui apprécie beaucoup Catherine, et crée, à tous les niveaux, d'excellents rapports. Mais la voici remplacée[68].

L'évolution que Sœur Guez a stabilisée, a été rapide. La maison est écartelée entre l'hospice casanier des vieillards et le service dévorant du quartier ; entre la tâche confiée par la Famille d'Orléans et les urgences de la misère. L'administrateur de la famille royale proteste contre le départ de Sœur Guez. Les Sœurs aussi.

Et voici Sœur Dufès[69] : la dernière supérieure de Catherine. Elle arrive le 18 octobre 1860. Elle a 37 ans, de grands projets et une volonté de fer, qu'elle engage sans retard pour secourir l'immense misère du quartier. Sa jeunesse entreprenante essouffle la communauté, qui défend les habitudes établies par deux Supérieures générales. Les Sœurs voudraient s'appuyer sur Catherine, une ancienne solide qui a passé le cap des noces d'argent, pour résister au style nouveau, que les vieillards n'apprécient pas. Et quand ils s'inquiètent ou se plaignent à la reine Amélie en exil, cela crée un malaise. Catherine n'entre point dans ces raisons. Elle défend l'autorité. Elle va jusqu'à réunir les jeunes Sœurs hésitantes pour leur dire :

— *Ne vous mêlez de rien*[70].

Dans le feu de la discussion, elle ajoute même :
— *La Supérieure, c'est le Bon Dieu !* (n° 993, et ci-dessous, chapitre 9).

Sœur Dufès lui doit une fière chandelle. Elle l'a échappé belle, car elle aurait fort bien pu être relevée de ses fonctions (comme autrefois Marie-Louise).

Les difficultés tendent à resurgir. Sœur Combes (28 ans) arrivée en 1861, s'y trouve impliquée :
— *Je fus plusieurs fois excitée par Catherine, à me soumettre à la Supérieure,* se souvient-elle (n° 983, CLM 2, p. 316).

De même, Sœur Maurel d'Aragon (21 ans), arrivée en 1862. Catherine la fait venir, un jour, à son office :
— *Notre vie, c'est la Foi : voir Dieu en tout, dans les Supérieurs, dans les événements.*

Sœur Maurel a compris, pour la vie, l'œuvre de Dieu seul, au-delà des querelles).

Les querelles, ce sont celles des vieillards, ils se sentent marginalisés, dans cette ruche populaire qui attise leur nostalgie de la vie de château. Catherine, qui comprend l'importance des pauvres du quartier, doit éponger leurs plaintes et mobiliser leurs bons sentiments.

Sœur Dufès a pris le dessus avec maestria, mais c'est bien difficile de faire coexister ces deux maisons aux deux bouts du jardin : l'hospice fondé par la famille d'Orléans et les œuvres dévorantes du quartier populaire. En 1865, Catherine dit à Sœur Cosnard (24 ans), sans doute après de nouvelles plaintes des vieillards à la Reine Amélie :
— *Enghien déménagera dans un château...*

Elle a cru voir ce « château de la Loire » où était écrit « Hospice d'Enghien ». Elle ne s'attarde pas à cette prémonition, qui se réalisera en 1901[71].

Confidence exceptionnelle. Mais c'est qu'une vraie confiance s'est établie avec Sœur Cosnard, normande âgée de 24 ans, qui a su apprécier l'exemple de Catherine et se souviendra toute sa vie des petits secrets « pratiques de pauvreté »

qu'elle lui a enseignés depuis son arrivée, en 1864
(CLM 2, p. 258).

C'est un trésor caché que l'accueil de Catherine
à ces jeunes débutantes :

> A mon arrivée (1858), c'est Sœur Catherine qui
> m'a accueillie, embrassée la première avec beau-
> coup de cordialité, raconte Sœur Clavel (n° 969,
> CLM 2, p. 296).

L'unité de la maison doit beaucoup à cet
accueil venant du cœur, à ces conseils pleins
d'expérience profonde et pratique, qu'elle donne
aux arrivantes : Sœurs Millon (1859), Combes et
Thomas (1861), Maurel d'Aragon et la bretonne
Tranchemer (1862) : la noblesse et le peuple sont
mêlés au service des pauvres, dans une communauté sans distinction : prière, sourires, raccommodage. Les plus avisées perçoivent l'étonnante sainteté de Catherine.

D'autres étaient peut-être extérieurement aussi parfaites, mais aucune ne produisait la même impression d'une âme anéantie par l'amour de Dieu, de la Sainte Vierge, et complètement dégagée d'elle-même, dira plus tard Sœur Cosnard (n° 938, CLM 2, p. 259).

En 1856 ou 1857, Catherine remarque une petite Sœur de 23 ans qu'on a envoyée quelques jours à Enghien, pour lui changer les idées. Devine-t-elle ce qui ne va pas ? Elle l'aborde dans le jardin qu'elle traversait pour aller d'Enghien à Reuilly :
— *Ma petite, vous roulez une mauvaise pensée dans votre tête !*

Elle a touché juste. La « petite » lui répond :
— *J'étais entrée en communauté pour soigner les malades, et je ne pourrai jamais parler devant tout le monde !...*

Sœur Fouquet vient d'être nommée, au mois d'août, à l'asile de Boulogne. Ce qui la rend malade, ce n'est pas de s'occuper d'enfant, c'est d'être exposée au public. Car, en ce temps-là, tout le monde « pouvait entrer et assister aux leçons que la Sœur faisait aux enfants », y compris les adultes. Ainsi la petite sœur, découragée conclut-elle tristement :
— *Je préfère rentrer dans ma famille.*
— *Ayez bon courage*, dit Catherine en roulant son solide accent bourguignon. *Je prierai la Sainte Vierge pour vous. Pendant un an, promettez-moi de le faire aussi. Vous réussirez dans vos examens, et vous persévérerez dans votre vocation !*

En fait, pendant 2 ans, Sœur Fouquet surmonte ses répugnances. Après quoi, en 1858, elle est nommée, selon son premier désir, dans la maison Nesle (Somme), pour soigner les vieillards... comme Catherine à Enghien. (Témoignages de Sœur Lenormand, n° 956, PO 45 CLM 2, p. 275 ; n° 957, CLM 2, p. 276 ; n° 1 268, PAspec, p. 363 ; cf. p. 825.)

En 1860, à son arrivée, Sœur Joséphine Com-

bes, 29 ans, risque une confidence imprudente à
l'une de ses compagnes. Comment Catherine l'a-t-
elle su ?

> Elle m'en fit le reproche (raconte Sœur Combes),
> en ajoutant :
> — *Vous verrez plus tard !*
>   Quelque temps après, cette compagne renonçait
> à sa vocation et rentrait dans le monde (n° 1297,
> 20 juillet 1909, PAspec, p. 725).

Soutenue maintenant par sa communauté, Sœur
Dufès va de l'avant, dans d'inextricables difficultés financières. La *Providence Sainte-Marie,* depuis
longtemps construite, rue de Reuilly, reste
impayée. Les échéances talonnent la supérieure.
Un jour, elle n'a pas de quoi payer le boulanger.
Elle entre dans la chapelle, pour confier son souci
à Notre Dame. Sur le seuil, une visiteuse lui
demande où se trouve le « tronc ». Elle dépose
l'offrande et s'en va. Sœur Dufès y trouvera exactement la somme qui lui manque.

A son arrivée, elle a eu le cœur serré de voir
rouler dans la rue, des premiers communiants
ivres-morts. Ce sont des « tireurs », comme on les
appelle : des enfants exploités par les fabriques de
papier-peint qui prospèrent sur la misère de
Reuilly. Les jeunes y sont traités comme des
« bêtes de somme », constate Sœur Dufès. La plupart ne font même pas la première communion.
Ceux qui la font n'y sont pas préparés et la fête
se déroule comme une revanche de ce milieu frus-
tré, dégradé par la misère. C'est donc un combat
quotidien, sur la brèche.

A la requête du gouvernement, enfin préoccupé
de la « Chine » de Reuilly, l'école des Sœurs, fondée pour ces enfants, deviendra bientôt commu-
nale.

Le petit internat, établi en 1850 par l'archevê-
ché, pour les orphelines du choléra[72] voit fleurir
des vocations. Le dimanche est laborieusement

employé à enseigner aux jeunes — y compris les « tireurs » des fabriques de papier-peint — l'écriture, la lecture, le catéchisme. Les tâches nouvelles et sans limites obligent à une augmentation de locaux et d'effectifs que permet la surabondance des novices. A la suite du choléra de 1866, il faut aménager les greniers pour de nouvelles orphelines. Enghien comptait 5 Sœurs à l'arrivée de Sœur Catherine ; 29, en 1860 à l'arrivée de Sœur Dufès ; 40, en 1870.

Les créations nouvelles de la communauté stimulent des générosités, mais au milieu d'aventures qui laissent sur le qui-vive.

A 4 heures du matin, mardi-gras 17 février 1863, un violent incendie éclate dans la fabrique de papier-peint contiguë à la chapelle de Reuilly. Les flammes lèchent la toiture des Sœurs, elles menacent de tout dévorer.

> Nous étions dans la consternation, écrit Sœur Philomène Millon.
> Sœur Catherine, très calme, prie devant la statue de Notre-Dame dans le jardin. Elle rassure Sœur Dufès et la Communauté :
> — *Ne craignez rien ! Cela va s'arrêter et il ne vous arrivera aucun mal*[73] *!*

C'est ce qui arriva contre toute attente.

Les enfants, à qui l'on fait le catéchisme dans les salles de parloirs, sont les fils d'insurgés de 1848 : tumultueux, ils dressent un jour une barricade dans la rue de Picpus, alors si calme. Terreur chez les vieillards, anciens serviteurs de la haute noblesse. Ils l'avaient bien dit que les Sœurs avaient tort d'attirer cette vermine ! Ils se plaignent en haut-lieu. Du fond de son exil, la Reine Marie-Amélie sort de sa bienveillance habituelle pour prier Sœur Dufès de ne plus recevoir cette turbulente jeunesse (n° 1360, p. 17-18).

Sœur Dufès ne cède point. L'avenir de ces jeunes, c'est l'avenir de Dieu, dans ce quartier abandonné. Au 79 de la rue de Reuilly (à côté du 77, où les Sœurs ont établi les premières œuvres), la communauté possède un vaste terrain, un fabricant de cordes l'occupe avec bail. Pour le résilier, il élève de hautes prétentions. Sœur Dufès mobilise la prière. Les Sœurs improvisent une adoration perpétuelle durant une nuit entière. Dès le lendemain, le locataire vient spontanément avec des propositions raisonnables. Sœur Dufès les accepte de suite. Elle construit des classes, un préau. Le patronage des garçons est fondé. Les jeunes y sont formés, instruits, catéchisés, à partir de 1864. Autorisés à s'agréger dans une nouvelle association d'Enfants de Marie, organisée par Monsieur Etienne, ils y entrent avec enthousiasme (CRAPEZ, *Vie,* 1911, p. 167).

En 1868, la royale fondatrice s'inquiète de voir son œuvre marginalisée par ce débordement d'activités. Ce n'est pas le but de la fondation qu'elle subventionne toujours à raison de 500 F par lit, 600 F par Sœur, et le double pour l'aumônier. Elle agit de tout son poids, mais Sœur Dufès ne fléchit pas. Après tout, la famille royale n'a fondé que la maison d'Enghien. Il y en a deux, maintenant. Les 25 Sœurs occupées aux œuvres du quartier — non subventionnées — logeront à l'autre bout du jardin : rue de Reuilly, y compris Sœur Dufès qui prend ainsi ses distances. C'est là qu'on a transféré les exercices de communauté, dès 1867[74]. On ne laisse à l'hospice, rue de Picpus, que les Sœurs chargées des vieillards. Catherine en devient responsable. Sœur Dufès lui en remet les clés[75].

Cette solution oblige à bâtir, de nouveau. Les soucis financiers deviennent gros comme des maisons ; les échéances, impossibles. Un jour, en quêtant, non pas pour elle, mais pour Notre-Dame des Victoires, Sœur Dufès est interrogée par une bienfaitrice, très attentive. Temps perdu, pour une journée trop pleine. Mais la dame a noté l'adresse. Quelques jours après, elle passe à Reuilly, et remet à Sœur Dufès 30 000 francs-or pour sa maison, en souvenir de sa fille défunte. Le problème est résolu[76].

Bonne à tout faire

Quelle est la place de Catherine dans cette communauté ? Quoique responsable de l'Hospice, elle ne participe pas aux délibérations et décisions. On fait peu de cas de sa personne. Elle est seulement « la Sœur régulière », vachère, paysanne, bonne à tout faire. Cela paraît naturel. Et comme elle semble contente, on ne va pas chercher plus loin. Elle aime bien voir les jeunes de la maison, et ne crée de problème à personne. Nul ne se plaint d'elle, ni à la loge ni ailleurs. C'est la bonne tâcheronne, qui arrange les mille problèmes, matériels ou caractériels. Cela paraît normal. On ne lui en sait pas gré.

Sœur Dufès, pourtant prévenue confidentiellement que Catherine est la voyante, la traite sévèrement :

> 5 ou 6 fois, raconte Sœur Cosnard, j'ai vu Sœur Catherine, à deux genoux, devant la Sœur Dufès, qui lui faisait des reproches pour des choses qu'elle n'avait pas faites, et dont elle n'était pas responsable. Les reproches étaient vifs, très vifs. Sœur Catherine, quoique innocente, ne s'est pas excusée. Il m'a semblé qu'il y avait cependant dans son âme une lutte. Ses lèvres remuaient comme prêt de s'ouvrir [...]. Toujours la lutte s'est terminée par le triomphe de l'humilité.

> J'ai été tellement impressionnée [...] que j'ai [...] demandé à ma Sœur Dufès comment elle pouvait [la] traiter aînsi [... Elle] me répondit, d'un ton très ferme :

> — *Ma Sœur, laissez-moi faire, je m'y sens poussée !*[77] (N° 1291, PAspec 44, p. 652 et n° 937, CLM 2, p. 256).

L'attitude sévère de la supérieure fait tache d'huile. Des Sœurs instruites, qui font figure dans la communauté, tiennent pour quantité négligeable cette Sœur fruste, dont l'accent et le tablier sentent l'étable. L'une d'elles l'« humilie », la « bafoue », assure Sœur Clavel, jusqu'à la traiter de « sotte » et de « niaise »[78] (n° 970 et 972, CLM 2, p. 298-300).

Mais Catherine, accueillante, est un havre pour les nouvelles venues, souvent mal à l'aise ou embarrassées devant des tâches nouvelles, dans ce quartier maudit.

Si les domestiques l'aiment bien, c'est qu'elle est attentive à elles.

Cécile Delaporte, la petite lingère de 20 ans, tombe malade à son arrivée en 1868. C'est Catherine, qui va la visiter (comme Bernadette visitera Jeanne Jardet, la petite servante malade de Nevers, oubliée sous les combles). Dans le grand froid du tragique hiver de 1870-1871, elle lui apportera « un édredon et de l'élixir » :

> Un jour, se souvient-elle, je donnais les fers pour les Sœurs qui repassaient. Elle vit que j'avais chaud, et elle me donna un verre de lait (n° 1018, PO 85, CLM 2, p. 348).

Le courant passe entre elle et les humbles, les enfants. Ceux qui sont embarrassés recourent à elle, comme à une bonne grand-mère, solide dans la maison... quitte à oublier l'ancienne, après avoir appris à voler de leurs propres ailes.

Les vieillards lui sont reconnaissants de maintenir l'hospice en bon ordre, à l'heure où il est devenu marginal, dans la ruche débordante. Et ce bon ordre profite à Sœur Dufès que les fondateurs auraient risqué de faire partir sans cela. Catherine ne ménage pas ses forces. Elle apparaît étonnamment présente sur tous les fronts : jardin et basse-cour, la porte et surtout les pauvres. Elle garde sur elle les rudes et basses besognes. C'est toujours elle qui cire les parquets des salles de vieillards avec la lourde « galère ». Elle est forte, Catherine ! pense-t-on. Ce n'est pourtant plus de son âge puisqu'elle arrive à la soixantaine. Elle s'étonne de sentir parfois son cœur fléchir. Elle reprend sa respiration. Quand on veut, on peut !

Elle s'est taillé une réputation discrète mais solide, comme veilleuse des mourants. Elle se prive de sommeil, à la mesure des agonies fréquentes chez les vieillards. Il en meurt 3 à 4 par an, chez les hommes seuls. Elle allie harmonieusement le soin du corps et la prière. Tous ceux qu'elle veille, trouvent la paix. Mécréants, ils se réconcilient et font parfois « de saintes morts », dit-on dans la maison. Pas un d'entre eux qui n'ait été réconcilié, constate Sœur Dufès à la fin de sa vie.

Sœur Elisabeth de Brioys, de grande famille, mais aussi de « grand jugement et de grande vertu », tient à Catherine pour cet ultime service. Fille de la Charité depuis 1852, elle a été acceptée pour ses qualités d'âme, malgré une tuberculose qui se complique de méningite. Durant l'été 1863, le 24 août, elle sort du coma. Très lucide, soudain elle dit à Sœur d'Aragon qui la veille :

— *Je vais mourir. Demandez ma Sœur Catherine. Dites-lui de ne pas me quitter !*

Il est tard. Sœur d'Aragon diffère la requête apparemment prématurée. N'est-elle pas là, elle-même ? A 11 heures du soir, la malade « réitère » sa demande. Catherine est au lit, depuis 9 heures. Elle dort profondément. Sœur Claire la secoue. Elle s'éveille de bonne grâce, harnache sa cornette. La voilà au poste, près de la mourante, avec son bon regard aux yeux bleus. Elle prie calmement. A 4 heures du matin, la cloche sonne. C'est l'heure du réveil. Catherine poursuit sa prière. Le râle de la malade s'accentue mais paisiblement. Elle s'éteint, à 6 heures, aux premiers rayons du soleil de ce 25 août. Catherine la quitte et reprend son ouvrage[79].

Le jardin des Enfants de Marie

Dans ce rayonnement, un point est particulièrement sensible à Catherine, celui qu'elle avait eu charge de transmettre à Monsieur Aladel :

> La Sainte Vierge veut de vous une mission. [...] Vous en serez le fondateur et le directeur. C'est une *Confrérie d'Enfants de Marie* où la Sainte Vierge accordera beaucoup de grâces. Les indulgences vous seront accordées [...]. Il se fera beaucoup de fêtes. Le mois de Marie se fera en grande pompe et sera général[80].

La réalisation a surgi, d'elle-même, en 1838, en un temps où Monsieur Aladel était 3e assistant et collaborateur de Monsieur Etienne, alors procureur. Bénigne Hairon, née à Beaune en 1822, commence dans cette ville, le 8 décembre 1838, à l'âge de 16 ans, un groupe d'Enfants de Marie. Elle devenait ainsi, comme elle le disait elle-même, « la première de toutes », chez les Filles de la Charité. L'Association est constituée, le 2 février 1840. Et dès lors, elle essaime un peu partout en province : à Sainte-Eulalie de Bordeaux, le 19 mars 1840 ; à Saint-Flour, en 1841. La première Association parisienne naît à Saint-Louis-en-l'Isle, le 16 décembre 1845. Monsieur Etienne nomme alors Aladel directeur de l'œuvre nouvelle. Le 20 juin 1847, il se rend à Rome et obtient de Pie IX une audience, où le Pape accorde et signe la faculté « d'établir, dans les écoles tenues par les Filles de la Charité », une *Association* sous le patronage de la Vierge Immaculée, avec tous les privilèges dont jouissait l'Association établie à Rome, de longue date, par les pères Jésuites[81].

En 1848, Aladel a publié un *Manuel des Enfants de Marie,* dont les éditions se succèdent à cadences répétées : 25 000 exemplaires en moins de 10 ans[82].

En 1851, le mouvement gagne Reuilly[83] où il y a 13 candidates. Le 21 novembre, Aladel vient personnellement fonder l'Association avec l'aide de l'aumônier, l'abbé Pierre Coullié, futur cardinal. Il remet la médaille aux trois premières aspirantes : des orphelines, Esther, Antoinette et Zoé. Le 8 décembre suivant, d'autres suivent. Le groupe élit une présidente, Caroline Huot, 12 ans ; une vive flamme que cette enfant.

Est-ce l'enchantement d'une sorte de millénarisme ? Non. Le registre des procès verbaux de Reuilly note impitoyablement un relâchement. A la date du 20 février 1853, lit-on dans le registre, à défaut « de réunion solennelle des Enfants de Marie », il n'y a

> point de conseil, point d'admissions nouvelles. Peu à peu, la ferveur diminue [...]. Nos réunions de la semaine devenaient chaque fois moins nombreuses. Les Enfants de Marie semblaient ne plus comprendre l'ineffable bonheur d'appartenir à leur [...] aimable Mère. Ce titre si doux ne paraissait être maintenant qu'un vain nom et ce cordon bleu [...], un frivole ornement[84].

Mais le charisme, vidé de l'intérieur, retrouve un second souffle, plus profond. C'est ainsi que le groupe accueille en 1858, Marie-Antoinette Meugniot, nièce de Catherine[85].

En 1860, Caroline, la présidente-fondatrice tombe malade. Elle a 21 ans et déjà 9 ans de charge. Son déclin semble intensifier sa ferveur et la qualité de son témoignage. Amaigrie, diaphane, toujours joyeuse, elle préside les réunions avec des mots si pleins de lumière qu'on y voit une inspiration divine.

> Justesse et précision faisaient voir que c'était le Bon Dieu qui dictait ses paroles, lit-on sur le registre, au lendemain de sa mort, le 17 décembre 1859[86].

Catherine reste vigilante. Ses conseils, son exemple soutiennent la ferveur[87].

5. LE JARDIN SECRET

Elle garde au fond de son cœur son jardin fermé. Elle en défend l'intimité avec une efficacité rare. Ses gros sabots, son tablier crasseux de paysanne et sa discrétion sont les remparts derrière lesquels s'abrite son secret, plus menacé qu'il ne paraît.

L'incognito en péril

Il devient de plus en plus difficile de dissimuler qui est « la novice de 1830 ». C'est dans les années 50 que la nouvelle commence à faire son chemin... lorsque les Supérieurs et d'autres savent ou devinent.

En 1855, pendant son séminaire, Sœur Charvier entend dire :

> — *La Sœur qui a vu la Sainte Vierge est maintenant occupée à soigner les vaches dans une maison de Paris.*
> Or justement (raconte-t-elle), je fus envoyée à la maison d'Enghien [...], occupée, le matin et le soir, à la même tâche que Sœur Catherine. L'idée me vint que c'était peut-être cette Sœur Labouré, occupée au soin des vaches, qui avait vu la Sainte Vierge. Je l'observais de plus près, je la trouvais très pieuse et très humble et cependant je me dis :
> — *Non, ce ne peut pas être elle qui a vu la Sainte Vierge.*
> Je ne la trouvai pas assez mystique.

A partir de 1855, Catherine est piégée quotidiennement. Non seulement, Sœur Dufès a été « prévenue » avant d'être nommée supérieure de la maison en 1860, mais des jeunes Sœurs qui arrivent du Séminaire à Reuilly, « savent ». De

même, les prêtres (le futur cardinal Couillié,
aumônier de la maison), la famille de Catherine...,
et *La Noire* qui le dit à tout venant. Effraction et
incidents se multiplient[1]. C'est à force d'ascendant, mais aussi de finesse paysanne que Catherine parvient à défendre la discrétion... et souvent
à créer le doute.

Un jour, Sœur Dufès se laisse convaincre par
des bienfaitrices, désireuses de « voir la Sœur qui
a vue la Sainte Vierge ». Après s'être débattue,
elle a fini par céder :
— *Eh bien ! je vais vous conduire au réfectoire
des vieillards, où la Sœur en question fait le service.*

« A peine étaient-ils entrés », Catherine
« s'esquiva, au grand étonnement de sa Supérieure
qui ne l'avait jamais vue agir de la sorte ». Comment avait-elle flairé le piège ? Après le départ des
visiteurs, elle vint prier Sœur Dufès « de ne plus
lui adresser pareilles visites » (n° 1014).

Le Jardinier

Pour ce jardin fermé, Catherine sait qu'elle
n'est point la jardinière. C'est Aladel[90] qui détient
l'autorité de Dieu et de l'Église. C'est lui qui a
savoir et pouvoir dans un monde qu'elle devine
compliqué. Elle sait, en paysanne, que les impul-
sions irréalistes vont à l'échec. Elle voit « l'inca-
pacité » des petites Sœurs de bonne volonté à éle-
ver pigeons ou poulets. Elle sait qu'elle-même est
perdante, avec les maquignons. Elle se sait incapa-
ble dans ce qu'elle ignore[91].

Le succès dont elle est l'instrument ne la grise
pas. Tout progresse dans un élan où ne manquent
pas les poussées douloureuses, comme il arrive aux
heures d'enfantement.

Les rapports avec Aladel restent difficiles, tendus. Le confesseur soupçonne toujours l'excès,
l'illusion. La Médaille : c'est réglé. Qu'on n'y
revienne plus ! Or Catherine y revient. Elle n'a

plus d'apparition, pourtant. Mais la voix intérieure de Notre Dame lui rappelle la mission qu'elle lui a donnée, et ses conséquences. Comment cette chapelle est-elle encore fermée au public, alors que la Visiteuse y a ouvert une source de grâces ? Comment l'anniversaire de cet événement n'est-il pas commémoré par quelque pèlerinage, par une communion anniversaire ?

Requêtes frustrées

Ce qui la tourmente, depuis 1839, c'est d'établir un autel et une statue commémorative au lieu de la première apparition, à droite en regardant l'autel. Et cette statue aura un globe dans les mains : donnée oubliée jusqu'ici. Catherine se résout à parler. Elle ose. Elle insiste, dans l'ombre du confessionnal. M. Aladel s'échauffe. Son mécontentement trahit son habituelle discrétion :
— *Méchante guêpe*[93] !
L'interjection a passé le rideau noir, et atteint des oreilles fines.
— *Le confessionnal tremblait,* a cru pouvoir dire un témoin.
Requête frustrée. En 1841-1842, pourtant, Aladel, qui est en harmonie profonde avec Catherine, en dépit des tensions de surface, semble se laisser convaincre. Le succès même de la Médaille miraculeuse, les 100 000 exemplaires de sa Notice épuisée[94], l'obligent à publier une nouvelle édition. Il la révise. Il faut agrandir la chapelle de la rue du Bac, devenue trop petite[95], et bâtir un nouveau séminaire pour 500 jeunes Sœurs[96]. Cela oblige à réfléchir, à tirer des plans. A la longue, l'insistance de Catherine fait son chemin. Est-ce Aladel qui l'a invitée à mettre par écrit l'apparition de la Médaille, le 15 août 1841 ? Ou bien l'a-t-elle faite pour être lue, à défaut de pouvoir se faire entendre ?
Cet autographe insiste sur des détails descriptifs :

> Par-dessus le voile, j'ai aperçu des cheveux en
> bandeaux. Par-dessous, une dentelle de 3 centimè-
> tres de hauteur, sans froncé, c'est-à-dire appuyée
> légèrement sur les cheveux : la figure assez décou-
> verte.

Mais ce qui lui importe, ce sont les désirs
qu'elle a déjà soumis oralement. En un temps où
la communion n'est pas accordée tous les jours,
elle demande une communion supplémentaire pour
l'anniversaire de l'apparition. Et surtout :

> Maintenant, je me sens pressée, depuis deux ans,
> de vous dire de faire bâtir ou élever un autel de
> la Sainte Vierge dans l'endroit-même où elle a
> apparu[98].

Cet autel doit comporter une statue de la Sainte
Vierge, telle qu'elle l'a vue, en cet endroit : Elle
insiste sur un détail inédit. Notre-Dame tient

> une boule dans ses mains, qui représentait le
> globe[99]. Elle tenait les mains élevées à la hauteur
> de l'estomac, d'une manière très aisée, les yeux
> élevés vers le Ciel (n° 455-457, CLM 1, p. 293).

C'est un regard d'imploration et un geste
d'offrande pour ce monde : ses enfants qu'elle
aime protéger.

> Ici sa figure était de toute beauté. Je ne pourrais
> la dépeindre, et puis, tout à coup, j'ai aperçu des
> anneaux à ses doigts, revêtus de pierreries, plus
> belles les unes que les autres.

La voix lui a fait comprendre qu'on n'espère
pas assez :

> Les pierreries d'où il ne sort pas de rayons, ce
> sont les grâces qu'on oublie de me demander (n°
> 631-632, CLM 1, p. 344-346).

En cette année 1841, la demande pressante de
Catherine, provoque un supplément d'enquête. Les
indications de Catherine sont, pour la première
fois, notées sur une feuille, en forme de pro-

gramme qui va être remise au peintre Letaille pour réaliser l'image qu'elle demande. L'« *essentiel* » tient en ceci :

la Sainte Vierge tient légèrement le globe dans ses mains, elle l'éclaire d'une vive lumière. Il importe de bien faire sentir cette lumière, qui éclaire vivement la terre, particulièrement contre les mains d'où part le foyer de lumière. La Sainte Vierge, avec une tendresse maternelle, regarde cette pauvre terre. Il y aura autour : *O Marie conçue sans péché, priez pour nous*[100].

Letaille dessine, d'après ces indications, l'esquisse du tableau souhaité : une Vierge debout, couronnée d'étoiles, la lune sous les pieds, selon Apocalypse 12 et le feuillet-programme. Elle tient

Vierge au globe. Croquis de Letaille (1841).

dans ses mains un globe énorme : moyen (surprenant) pour que le rayonnement des mains ne cache pas ce globe.

Catherine espère, mais le projet n'est pas retenu.

La Croix de 1848[104]

Au seuil de la Révolution, en 1848 comme autrefois en 1830, un souffle symbolique et prophétique la saisit : elle le reçoit comme une grâce, comme une requête. Et cela dans un climat nouveau : en ces dernières années, le rayonnement religieux de Chateaubriand s'est confirmé. L'hostilité à l'obscurantisme médiéval a fait place à une nostalgie du Moyen-Age gothique et de l'Église : un mouvement charismatique et poétique a surgi autour de la Médaille. Ozanam la portait lorsqu'il a fondé les Conférences de Saint Vincent de Paul en 1833[105] ; Newman se l'est accrochée au cou, le 22 août 1845, deux mois avant sa conversion (9 octobre)[106].

Catherine n'a pas analysé tout cela. Elle ne lit guère. La vision s'impose soudainement à elle, gratuitement, de l'intérieur, comme les précédentes : Ce qui lui est donné, c'est le triomphe de la Croix, un triomphe qu'il faut FAIRE : un crucifix monumental doit être dressé dans Paris. Il resserrera les liens des Chrétiens avec le Christ crucifié. Catherine n'accorde pas plus de sens à la chute du Roi Louis-Philippe comme à celle de Charles X en 1830. Elle est toute tournée vers l'avenir de Dieu.

> Cette croix sera appelée la croix de la victoire. Elle sera en grande vénération. De toute la France, et des pays les plus éloignés, et même de l'étranger, les uns y viendront par dévotion, et les autres en pèlerinage, et d'autres par curiosité. Enfin, il se fera des protections toutes particulières qui tiendront du miracle. Il ne viendra pas une personne à Paris qui ne vienne voir et visiter cette croix, comme une œuvre de l'art.

Ici Catherine a écrit *lard :* ce qui dessert son crédit. Le sublime, sombre dans le vulgaire, et Aladel y trouve motif à sourire. Mais elle continue imperturbablement, sautant du futur au passé :

> Sur le pied de la croix, il sera représenté toute cette révolution, telle qu'elle s'est passée. Le pied de la croix m'a paru avoir de 10 à 12 pieds en carré, et la croix de 15 à 20 pieds de hauteur. Et, une fois élevée, elle m'apparaissait à peu près de 30 pieds de hauteur.

Les proportions sont plus modestes que celles de Claudel quand il projetait une cathédrale souterraine à Chicago avec une flèche de 700 m.

> Sous cette croix, il reposera une partie des morts et des blessés pendant les événements si pénibles [...]

Parmi ces morts, Catherine en discerne un (comme dans sa vision de 1830), avec une particulière intensité.

> Ici, un bras paraît, une voix se fait entendre qui dit :
> — *Le sang coule !*
> En montrant du doigt le sang :
> L'innocent meurt, le pasteur donne sa vie.

On sait que Mgr Affre est mort sur les barricades de 1848, où il voulait apporter la paix...

> La croix m'apparut de toute beauté. Notre Seigneur était comme s'il venait de mourir. La couronne d'épines sur sa tête, les cheveux épars dans la couronne par derrière, la tête penchée du côté du cœur. La plaie du côté droit [...] me paraissait avoir trois travers de doigt de longueur, et tombent des gouttes de sang. Cette croix m'apparut d'un bois précieux, étranger et garnie en or ou dorée.

La vision vive est pleine d'espérance. Catherine se sent pressée de la soumettre à Monsieur Aladel.
— Encore ! pense-t-il.

Il réitère ses consignes stéréotypées contre les illusions Catherine revient à la charge. Sans succès. Ainsi se décide-t-elle à prendre la plume, le 30 juillet 1848 :

> Mon Père, voici [...] la troisième fois que je vous parle de cette croix, après avoir consulté le bon Dieu, la Sainte Vierge et notre bon père saint Vincent, le jour de sa fête et tout l'octave où je me suis abandonnée, toute à lui, et le priai qu'il m'ôte toute pensée singulière à ce sujet et à tant d'autres. Au lieu de me trouver soulagée, je me suis sentie de plus en plus pressée de vous donner tout par écrit. Ainsi, par obéissance, je me soumets. Je pense que je n'en serai plus inquiétée. Je suis, avec le plus profond respect, votre fille, toute dévouée au Sacré Cœur de Jésus et de Marie

Elle jette cette ultime imploration sur le papier, comme une bouteille à la mer. Elle laisse blanche la page 3 et rédige l'adresse sur une partie de la page 4 (souvent utilisée alors, à cet effet, pour faire l'économie d'une enveloppe). Elle libelle l'adresse selon la formule traditionnelle qui répète cérémonieusement le titre du destinataire :

> Monsieur
> Monsieur Aladel*le*
> Directeur des Filles de la Charité.

Est-ce un acte manqué ? Catherine a fait une faute d'orthographe au nom du directeur. Elle l'a féminisé.

Avant de clore, elle ajoute, en première page, un croquis pour matérialiser l'emplacement de la croix. Cette légende en surcharge traduit son tourment :

> Au moment où la croix s'est élevée, parcourant une partie de Paris pour jeter la terreur dans les cœurs, et venant s'arrêter devant Notre-Dame, elle était portée par plusieurs hommes qui m'apparaissaient avoir des figures courroucées. Enfin, ils ont abandonné la Croix. Elle est tom-

bée dans la boue et ils se sont enfuis. Il m'a semblé qu'un saisissement intérieur les avait fait partir et abandonner tout. Cette croix est couverte d'un voile de crêpe.

Cette vision, haute en couleurs, Catherine l'interprète comme celle du cœur de saint Vincent :

Le blanc qui touche la tête de Notre Seigneur, c'est l'innocence.
Le rouge, [c'est] le sang qui coule [...]
Le bleu, c'est la livrée de la Sainte Vierge.

Catherine ne semble pas avoir songé que ce sont les trois couleurs du drapeau français... quoiqu'en ordre inversé.

Elle projette le vif de ses visions, sans les raisonner. Quel lien entre cette image de profanation et la croix triomphale à ériger ? Est-ce un acte réparateur ? Elle ne précise pas. Tout cela peut paraître étrange, aujourd'hui. Mais la vision avait une forte surface portante dans la conscience du milieu de ce siècle. La Croix y avait un prestige et une popularité immenses. L'apparition d'une croix lumineuse à Migné (Vienne) en 1826, avait laissé un souvenir durable dans les esprits. D'autres encore. La Croix apparaissait alors plus souvent que la Vierge[107]. C'est l'époque où des calvaires étaient dressés dans toute la France, par milliers, comme une réplique à l'iconoclasme et aux blasphèmes du début de siècle. En pleine Révolution de 1848, le 24 février, sans doute peu après la vision prémonitoire de Catherine, une croix, saisie lors de l'invasion du Palais Royal, avait été effectivement portée en triomphe par les insurgés — point commun avec la vision de Catherine. L'émeute qui pillait le Palais Royal, était devenue procession pour conduire ce crucifix à l'église, selon la chronique d'alors.

Jeudi dernier [24 février], au moment où le peuple venait d'envahir les Tuileries et en jetait par les fenêtres, les meubles et tentures, un jeune homme qui fait partie de la *Conférence de Saint Vincent de Paul,* courut en toute hâte à la chapelle, craignant [...] profanation [...]. Le pieux jeune homme pria quelques gardes nationaux de l'aider à emporter les vases sacrés et le Crucifix [...]. Dans la cour, des cris furent poussés contre les hommes chargés de ce précieux dépôt. Alors, celui qui portait le crucifix, l'éleva en l'air en criant :

— *Vous voulez être régénérés ? Eh bien ! n'oubliez pas que vous ne pouvez l'être que par le Christ !*

— *Oui, oui,* répondirent un grand nombre de voix, *c'est notre Maître à tous.*

Les têtes se découvrirent au cri de *Vive le Christ !*

Le crucifix et un calice sans patène furent portés pour ainsi dire en procession jusqu'à Saint Roch où ils furent reçus par Monsieur le Curé *(Ami de la Religion,* 29 février 1848, p. 497. CLM 1, p. 321).

En 1848, à la différence de 1830, le peuple révolutionnaire de Paris acclamait spontanément la croix du Christ. Catherine le percevait ; et si l'on eût dressé le calvaire qu'elle demandait, il aurait pu avoir un rayonnement analogue à celui de la Médaille miraculeuse. Ce monument eût été le couronnement logique de ses visions : il les aurait recentrées sur le Christ. Cette logique habitait profondément Catherine. Elle l'exprimera dans une de ses toutes dernières paroles : celle où, sur son lit de mort, elle traduira sa joie de rejoindre *« NOTRE SEIGNEUR, LA SAINTE VIERGE ET SAINT VINCENT ».* Ces mots récapitulent le thème de ses visions mais en ordre inverse. Catherine a commencé par saint Vincent, en avril 1830, elle a continué par la Sainte Vierge à partir de l'été 1830. Et tout s'achevait par ce triomphe de la Croix de Notre Seigneur, en 1848, dans le sillage des visions eucharistiques de 1830. Saint Vincent et la Vierge avaient trouvé, non sans peine, un écho chez Monsieur Aladel. Le projet grandiose de la

Croix n'en trouva pas. Il fut enterré. Catherine en souffrit. Le désir même du Seigneur et sa mission lui semblaient amputés. Écartelée entre la vision et l'obéissance, elle a libéré sa conscience par écrit. Elle se réfugie maintenant dans le Seigneur. Elle n'en reparlera plus.

Un autel et une statue

Mais elle reste tourmentée par le souci d'un autel, avec la Vierge au globe, qui commemorerait l'apparition et ouvrirait la chapelle à sa vocation de pèlerinage.

Monsieur Aladel, de plus en plus chargé par le développement des Enfants de Marie, prend alors ses distances avec Sœur Catherine. En 1851, Monsieur Chinchon (35 ans) devient son confesseur habituel, à Reuilly, jusqu'en 1875. Il écoute davantage, sans être plus coopératif. Est-ce à son initiative ou selon celle d'Aladel, qu'elle rédige, en 1856, un récit autographe sur les premières apparitions : celle du cœur de saint Vincent et celle, strictement inconnue où la Vierge lui avait donné sa mission, le 18 juillet 1830[108] ? Ces écrits resteront très secrets.

Mais quelque chose est fait dans le sens de ses vœux. L'agrandissement de la chapelle, entrepris en 1849, comporte la réalisation d'un nouveau maître-autel, en arrière duquel se dressera une statue de la Vierge aux rayons, selon le modèle de la Médaille miraculeuse.

Ces réalisations furent faites selon la logique d'agrandissement qui faisait ajouter des bas-côtés à la chapelle, plus que selon les requêtes de Catherine :

— *Ce n'était pas tout à fait ce qu'elle demandait,* savait bien Sœur Hannezo (n° 1315).

Apparition de la Médaille (tableau du frère Carbonnier, 1843).

Ni le lieu, ni la forme :

— *Elle n'était pas absolument satisfaite de la sta-tue de la Sainte Vierge parce qu'elle n'était pas représentée comme elle l'avait vue [...] tenant la boule du monde dans ses mains* (n° 937, Sœur Cosnard, CLM 2, p. 255).

Monsieur Chinchon, le nouveau confesseur, reconnaît que Catherine se plaignait à lui de « l'attitude » que Monsieur Aladel donnait à la Vierge. De même, Monsieur Chevalier. Et c'est à l'endroit de la *première* apparition de la Médaille, *à droite* et non plus au centre, qu'elle désirait l'autel. Du moins la statue commémorait-elle l'apparition. Elle répondait au désir d'illustrer le pèlerinage de la rue du Bac[109].

Mais la Communauté de plus en plus nom-breuse, avec plus de 500 novices en ces années-là, ne permettait pas d'ouvrir la chapelle au public. Catherine, qui en expérimentait les grands bien-faits, chaque fois qu'elle y allait, eût aimé parta-ger cela très largement.

Lourdes et la Rue du Bac

Quand elle entendit parler de l'apparition de Lourdes (1858), elle dit :
— *C'est la même*[110] !

> Ce qu'il y a de plus extraordinaire, écrit Sœur Dufès, sa Supérieure, c'est que sans avoir lu aucun des ouvrages publiés, ma Sœur Catherine était plus au courant de tout ce qui s'y était passé que les personnes qui avaient fait ce pèleri-nage[111].

Elle aurait dit, selon Sœur Tranchemer, sa com-pagne :

> — *Dire que ces miracles pourraient avoir lieu dans notre chapelle*[112] !

Elle aurait dit pareillement à Sœur Millon :

> — *Si les Supérieurs avaient voulu, la Sainte Vierge eût choisi notre chapelle*[113].

Selon Sœur Pineau, Sœur Dufès aurait trouvé :

> dans les affaires de Catherine, un morceau de papier, sur lequel on lit ces mots écrits de la main de la Sœur.
> — *Ma bonne Mère, ici on ne veut pas faire ce que vous voulez, manifestez-vous ailleurs*[114].
> En diverses circonstances, raconte Sœur Cosnard, ma Sœur Catherine, a fort appuyé pour me persuader que le pèlerinage de Notre-Dame des Victoires [dont la Confrérie arborait la Médaille miraculeuse] et celui de Lourdes avaient été accordés par la Sainte Vierge, afin de suppléer à ceux que les Supérieurs n'avaient pas crû devoir autoriser dans notre chapelle.
> — *Mais cependant,* me dit-elle, plusieurs fois, avec un accent particulier, *des pèlerinages s'y feront quand même*[115].

Le tourment de ne pas se faire entendre la raidit un peu à certaines heures. Elle en perdrait le sommeil et la mesure, si elle ne trouvait, au pied de l'autel ce que Notre-Dame lui avait promis : une source de paix !

6. MORT DE MONSIEUR ALADEL (1865)[116]

Le dimanche 23 avril 1865, M. Aladel prononce une conférence inspirée. Il y rappelle les apparitions du cœur de saint Vincent.

Le lendemain, mardi 25 avril, fête de saint Marc, les confrères s'étonnent de son absence : il est la régularité même. Mais ils ne bougent pas. La Sœur chargée de la sacristie de la communauté, où il disait sa messe, s'inquiète de le trouver pour la première fois en retard. Elle court à Saint Lazare pour s'informer. On monte dans sa chambre, il est étendu sur le parquet, sans con-

J. Aladel et J.B. Étienne, lazaristes

naissance, la face contre terre. Une attaque d'apoplexie l'a terrassé. Il expire le jour-même, vers 3 heures du soir.

Les derniers mots de sa dernière prédication prirent ainsi le sens d'une prémonition :

> Lorsqu'à notre dernier jour, après le *Consummatun est* des dernières souffrances, notre âme quittera le corps qui la retient captive, si notre Bienheureux Père Saint Vincent retrouve en nous un grand esprit de foi, une grande charité, une tendresse de prédilection pour la Vierge Immaculée, c'est à Elle qu'il nous présentera, et l'Immaculée Marie nous conduira à Jésus.

Ses confrères ont pensé qu'il avait offert sa vie en échange de celle qui paraissait menacée.

Le jeudi 27 avril, les funérailles sont célébrées par Monsieur Eugène Vicart qui va lui succéder comme directeur des Sœurs et admoniteur du Supérieur général.

Cette liturgie est servie par des étudiants Lazaristes. L'un d'eux est Philippe Meugniot (20 ans), le neveu de Catherine. Il a gardé de cette cérémonie un souvenir qui le frappa « d'étonnement » :

> Je faisais l'office de thuriféraire. En me retournant dans un mouvement de cérémonie, mes regards tombèrent sur Sœur Catherine qui se

trouvait au premier rang avec sa Supérieure,
[Sœur Dufès]. Je fus saisi de l'aspect radieux de
sa physionomie. Je ne me l'expliquai pas [...] :
souvenir [...] et reflets célestes des rapports
qu'elle avait eus avec le vénéré défunt ?

Cette sérénité va être bientôt troublée par une
nouvelle tourmente.

6.
La guerre et la commune
Juillet 1870-Juin 1871

1. LA GUERRE DE 1870

Le 19 juillet 1870, l'Empereur déclare la guerre
à la Prusse. Les Français que l'épopée napoléo-
nienne fait rêver encore, s'exaltent. Jusque chez
les Sœurs, on prie pour la victoire, témoigne
Sœur Joseph Tranchemer (44 ans) bretonne, légiti-
miste, dont Sœur Dufès juge la « piété exaltée »
(n° 630). Catherine n'entre pas dans cet enthousiasme :
— *Pauvres soldats !* dit-elle seulement[1].

Le serpent dans le désert

Le 4 août 1870, Monsieur Etienne publie une
circulaire pour inciter à la confiance. Il y évoque
l'extraordinaire mouvement de grâces qui soulève
Lazaristes et Filles de la Charité, et le réfère —
plus explicitement que jamais — à la première
vision de Catherine : celle du cœur de saint Vincent, « profondément affligé des grands malheurs
qui vont fondre sur la France ». Les deux
Maisons-Mères ont bénéficié d'une étonnante protection en 1830 selon la prédiction de la voyante
toujours inconnue, rappelle-t-il.

Siège de Paris

La guerre tourne mal : désastre en Alsace dès le
début d'août, puis en Lorraine. Le 2 septembre,

Catherine aborde une phase difficile.
Elle sera ainsi emmenée au tribunal... (p. 171).

Sedan capitule. Napoléon III se constitue prisonnier. L'Empire s'écroule. La République est proclamée le 4 septembre. Les Prussiens approchent de Paris. Les 13 et 14 septembre, les Sœurs des 30 maisons de banlieue, parfois accompagnées de leurs pauvres, se réfugient dans la capitale. Une ambulance est installée à la Maison-Mère.

Catherine s'active au « fourneau » de Reuilly, pour nourrir non seulement les vieillards de l'hospice, mais les pauvres affamés, en nombre croissant. Il faudra multiplier les .portions, jusqu'à 1200 par jour[3].

Rude tâche pour les Sœurs, et rude épreuve ! Le 11 septembre 1870, les Supérieurs leur accordent exceptionnellement la Communion quotidienne[4]. Elles y puisent force et paix.

Le 18 septembre 1870, les Prussiens assiègent Paris. Les Sœurs se confient à la protection de Marie ; elles attachent la « Médaille » aux portes et fenêtres de la maison :

— *Il faut les dissimuler !* dit une Sœur.

— *Non pas !* proteste Catherine. *Mettez-les au milieu de la grande porte*[5].

Catherine Supérieure ?

Durant les premiers jours du siège, son neveu Philippe, maintenant Lazariste, vient la visiter à Enghien[6]. Il la trouve « à son office de la porte », dans sa petite loge, qu'elle maintient dépouillée, comme une cellule monastique :

> Elle ne s'étendit pas sur le tragique des événements. Sa conversation fut un peu plus familière que d'habitude. Elle me parla de sa jeunesse, passa à sa vie de communauté. Je ne me souviens plus que d'une chose [...] : la Supérieure générale des Filles de la Charité (c'était, je crois, la Mère Devos, morte en odeur de sainteté),

l'[avait fait] venir, et lui [avait] dit sa pensée de
la nommer Sœur Servante [c'est-à-dire supérieure
d'une maison].

— *Oh ma Mère !* répondit Sœur Catherine, *vous
savez bien que je n'en suis pas capable !*

Et l'on me renvoya à Enghien [concluait-elle].

Le ton complétait bien sa pensée, et voulait
dire :

— *Et l'on a bien fait*[7].

Catherine ne sera pas supérieure en titre, mais
va se révéler supérieure aux événements.

Metz capitule le 31 octobre. A cette nouvelle,
une Révolution éclate, mais avorte. Cela n'empêche pas une prise d'habit pour 30 Sœurs, à la
Maison-Mère, le 14 novembre. C'est pour remplacer celles qui sont envoyées à Bicêtre pour soigner
les varioleux. 23 autres prennent l'habit, le 28,
pour permettre l'envoi d'un renfort expérimenté
au même hôpital[8].

Famine et fourneau

A Reuilly, « les classes et l'asile » sont convertis
en ambulance, et l'hôpital militaire du Val de
Grâce, desservi par les Filles de la Charité, y établit son « annexe ». La mairie charge les Sœurs
de distribuer la viande aux petites ambulances du
quartier[9].

Le rationnement est instauré. La pénurie devient
famine et complique la tâche de Catherine au
fourneau économique. Les 40 chevaux des Magasins du Bon Marché, « si beaux, si propres, gras à
lard », qu'on n'a plus de quoi nourrir, sont vendus pour être abattus. Les Sœurs de la rue du
Bac l'apprennent trop tard. Elles en auraient
acheté !

L'âne se vend 5 francs la livre [et l'on en trouve]
pas pour [...] ce prix désordonné. Plus de
harengs-saurs, plus de saucissons ! plus rien que

du riz, du pain et du vin. Nous sommes rationnés à 30 grammes de viande par personne et par jour, lit-on dans le Diaire du 10 novembre 1870 (Anfr 1871, p. 221).

A la date du 12 novembre, un lapin coûte 20 francs-or ; un chat, 8 francs. On commence à manger du chien (« excellent »)... et du rat (p. 226).

Sœur Catherine, qui aime servir largement est réduite à la parcimonie qu'elle ne supportait pas de la part de Sœur Vincent, au temps de ses premières armes à la cuisine. La petite Sœur Mauche, 25 ans, (future Supérieure générale) ne peut se résoudre à si mal nourrir ses blessés. Elle devient ingénieuse pour leur procurer des « suppléments ». Elle en fait tant que les malades l'appellent « le juif errant ». Un jour, tandis que les Sœurs prient à la chapelle, ils célèbrent ses mérites avec tant d'enthousiasme, que toute la communauté entend à travers la cloison, y compris la petite Sœur, qui cache sa tête dans ses mains. N'a-t-elle pas réussi à faire, pour ses 90 malades, une salade d'oranges arrosée de 3 litres de rhum, extorqués au médecin, et au « commandant » : sévère officier à barbe blanche[10] ? Ce luxe masquait le fait qu'il n'y avait pas une orange par personne.

Sœur Catherine s'ingénie pareillement pour la salle d'ambulance dont elle est responsable, nous apprend Sœur Tranchemer (CLM 2, p. 147).

Ses deux nièces Marthe (6 ans) et Jeanne (4 ans), « de santé délicate », se souviendront longtemps « des adoucissements » qu'elle leur procurait, lors des visites à Reuilly,

> avec la permission de ses Supérieurs. Je me rappelle notre joie d'enfant, écrit Marthe, en recevant d'elle un pain blanc et une portion de pois assaisonnés au lard : chose fort rare à ce moment là. Ma sœur, dans sa naïveté de bébé, suppliait ma grand-mère (Tonine) :
> — *Encore un pois ! (Relation de Marthe Duhamel, p. 4.)*

Les « douceurs » sont réservées aux malades et aux blessés. Les Sœurs sont réduites à la portion congrue. Sœur Dufès s'inquiète de les voir « dévorer à certains jours un morceau de pain noir, et rien de plus », après un travail harassant[11]. La jeune Sœur Eugénie avouera plus tard qu'avant de laver la louche de service, elle regarde honteusement si elle est bien seule, et lèche avidement les maigres parcelles de soupe restées sur la cuillère de service.

Vrais et faux espoirs

La naïve espérance que Dieu accordera la victoire domine toujours chez les Sœurs.

L'une d'elles mobilise la prière de Catherine :

— *Pauvres enfants* [répond-elle], *priez aussi pour nos pauvres soldats, si malheureux dans cette terrible guerre* [...]

Quand on annonce une prétendue victoire, elle sourit d'un air incrédule :

— *Oiseau de mauvais augure !* [proteste Sœur Tranchemer].

Elle répond :

— *Ne vous effrayez pas, la Sainte Vierge nous protège. Elle a l'œil sur nous, sur toute la communauté*[12].

Sœur Tranchemer, fascinée par Catherine qu'elle sait être la voyante de la Médaille, ne comprend pas son attitude : elle semble ne voir que malheurs, capitulation, entrée des Prussiens à Paris ! et manifeste pourtant un calme et une confiance totale qu'elle invite à partager.

Le 16 décembre, deux pigeons voyageurs apportent une nouvelle incroyable : les Prussiens ont passé la Loire. Orléans est tombé. A Paris, le 1er de l'an 1871 est sinistre, sans réceptions. Mais l'*Officiel* du 2 janvier assure « qu'à aucun prix on ne capitulera ». On compte sur les 400 000 gardes nationaux pour une sortie en masse. Les prophé-

ties courent sur un grand combat qui doit se livrer
sous les murs de Paris : meurtrier mais victo-
rieux... (Diaire, dans *Anfr* 1871, p. 264).

Hiver absolu

Depuis le mois de décembre il gèle à pierre fendre : moins 11 degrés et demi, le 5 janvier 1871.
Les obus pleuvent drus sur la Capitale. Les gavro-
ches en vendent les éclats. La rumeur colporte ce
dialogue entre l'un d'eux et son client :
— *Combien l'éclat d'obus ?*
— *Bourgeois, je n'en ai plus, j'en attends !*

On guette les signes dans le ciel.
Le 17 janvier, vers 7 heures du soir, le jardin
de Reuilly est couvert de neige poudreuse. Les
jeunes ouvrières, repartant chez elles, s'exclament
devant la teinte « extraordinaire » de « l'horizon,
mystérieux, voilé ». Elles le ressentent comme un
présage :
— *Le ciel porte le deuil de tous nos deuils,* dit
Sœur Tranchemer[13].
Catherine regarde et ne dit rien. Sa compagne
comprendra bientôt que, ce soir-là, la Vierge
apparaissait au village de Pontmain, dans un
décor de neige également. Est-ce à cela que Catherine pensait ? se demande-t-elle sans obtenir de
réponse[14].
Le 11 février, « une aurore boréale jette
l'effroi » sur tout le personnel de la maison : les
Sœurs, les enfants, les blessés[15]. Mais Catherine
est sans émoi.
Le 18 janvier, les généraux Trochu et Ducrot
préparent en secret une sortie pour laquelle ils
mobilisent toutes les forces possibles. A l'ambulance, tenue par Catherine, on vient chercher les
hommes valides. Certains d'entre eux sont à peine
rétablis :
— *Pauvres agneaux !* dit-elle, *on les conduit à la
boucherie.*

Le lendemain, 19 janvier, c'est la sortie de
Buzenval. Les troupes enlèvent les hauteurs de
Montretout, Garches et La Jonchère, mais refluent
en un sanglant échec[16].

Chute de Paris

Le 26 janvier 1871, 72 bombes pleuvent sur
l'hôpital militaire du Val de Grâce, à 4 heures et
demie du matin. Le feu crépite. L'infirmière —
une Fille de la Charité, qui veille—fait transporter
les malades à l'étage supérieur. A peine les derniers ont-ils quitté la salle que le plafond s'effon-
dre[17].

Le 29, un armistice est conclu. Le 1er mars, les
Allemands entrent dans Paris[18].

2. LA COMMUNE (MARS-MAI 1871)[19]

Une autre guerre

C'est la paix humiliante, mais aussi grondante,
menaçante. En allant prier devant « la Vierge du
jardin », avec Sœur Catherine, Sœur Tranchemer
lui dit :

— *Comprenez-vous cela, ma Sœur Catherine ?*
Nous avons capitulé, et tous nos militaires disent
que nous allons avoir la guerre ! Une guerre
encore plus terrible que l'autre !

Catherine apparemment pessimiste sur les événements rayonne une paix et une confiance à
l'épreuve des chocs du quotidien[20].

Sœur Tranchemer croit se souvenir qu'elle a
prédit « la guerre civile »[21]. En fait, à la date où
elle situe la conversation : 21 mars, la Commune
ne relève plus des prédictions. Elle s'est mise en
place, après une longue fermentation, et la créa-
tion de comités occultes : dès le 2 mars. Ce mouvement de résistance populaire, anarchique et laï-

que, est hostile à tout ce qui rappelle l'Ancien Régime : le clergé, la famille royale qui subventionne l'hospice d'Enghien. Les Sœurs sont donc « du mauvais côté ». Leur service inlassable de toutes les détresses leur donne toutefois des attaches populaires. Elles tiennent une place incalculable dans ce faubourg que la Commune veut éveiller à un idéal nouveau. Entre les communards aux écharpes rouges, au verbe généreux, et les Sœurs sûres de leur foi et de leur mission, étrangères au climat politique où tout baigne qu'on le veuille ou non, ce sera un déchaînement de psychodrames qui se termineront le plus souvent sans vainqueur ni vaincu.

La nouvelle révolution est une explosion adolescente où s'allient violence et gentillesse, utopie et organisation, idéologie et humanité. Les humiliés, promus à la parole et au pouvoir, n'en ont pas toujours l'étoffe. Et le mouvement sera souvent débordé par ces caractériels, contre lesquels il se fera un devoir de sévir.

Dans la nuit du 17 au 18 mars, la « veille de la fête de Saint Joseph », les insurgés ont pris d'assaut la Butte Montmartre. Le canon gronde. On l'entend de Reuilly[22]. La Commune siège maintenant à l'Hôtel de Ville et prépare des élections pour le 22 mars.

La veille, Sœur Tranchemer avait profité d'un moment de répit pour cuisiner Catherine dont l'apparent pessimisme heurte son patriotisme :

— *Mais, ma Sœur Catherine, comment avez-vous su ce qui devait arriver ? Qui vous l'a dit ? Est-ce votre bon ange ? Est-ce Notre Seigneur ?... Alors si ce n'est ni votre bon ange, ni Notre-Seigneur, c'est donc la Sainte Vierge !*

Catherine élude toute réponse, mais reste sombre :

— *Mon Dieu ! que de sang, que de ruines !*

Sœur Tranchemer, exaltée par cette sombre perspective, va trouver la Supérieure, qui se chauffe, en parlant avec Monsieur Chinchon, le confesseur de la maison. Arrivé de Dax, il est allé droit à Enghien, ce 21 mars[23] :

— *Qu'avez-vous ?* dit la Supérieure, sèchement. Elle connaît l'exaltation de l'importune, qui grossit toujours les choses.

Monsieur Chinchon se tait. Sœur Dufès gronde :

— *Tenez ! vous perdez la tête, et ma Sœur Catherine aussi. Allez donc dire ces prédictions à vos compagnes. C'est ce que vous allez faire ?*

— *Oh non, bien sûr, ma Sœur !*

— *C'est bien, gardez donc le silence !*

— *Oui ma Sœur,* conclut Sœur Tranchemer.

Elle se retire, peu flattée, mais impressionnée par le calme de Catherine et son espérance sur fond d'horizon si sombre.

Il en résultera un entretien de Catherine avec Monsieur Chinchon, son confesseur, intrigué par cette conversation. C'est alors qu'il lui aurait fait mettre par écrit les prédictions reçues, dans la nuit du 18 au 19 juillet 1830, y compris la mort de l'archevêque, annoncée dans un délai de 40 ans[24].

Les élections décidées par la Commune se heurtaient à de vives oppositions. L'entreprise était risquée. Mais le nouveau régime a le prestige de sa résistance aux Prussiens, et de ses idées généreuses pour une société nouvelle, sur les ruines d'un empire écroulé en catastrophe. La participation se révèle supérieure aux prévisions : 229 000 électeurs sur 480 000 inscrits, et une forte majorité dans les quartiers ouvriers. Le 26 mars, le nouveau gouvernement commence à légiférer. En dépit de la contre-propagande versaillaise, il remet en marche les services publics, taxe le pain et la viande, contrôle les halles et les marchés, réorganise le service de santé (13 avril), supprime le travail de nuit des boulangers, et le droit, jusque là reconnu aux patrons, de prélever des amendes sur les salaires (20 mai). Il prépare l'élection d'une chambre fédérale de travailleuses. Les comités révolutionnaires prolifèrent.

La réaction contre l'ancienne société implique l'anticléricalisme. Les Sœurs n'ont plus leur place dans cette société-là. Elles sont menacées. Le pessimisme les gagne. Et voilà Catherine qui les rassure :

— *La Vierge veillera, elle gardera tout. Il ne nous arrivera aucun mal,* dit-elle.

Et encore :

— *Il faut prier pour que Dieu abrège les mauvais jours*[25].

Un rêve ?[26]

Dans les premiers jours d'avril, Sœur Dufès préoccupée, reçoit visite de Catherine dans son cabinet :

> Elle me dit avec sa simplicité habituelle :
> — *Ma Sœur, la Sainte Vierge est venue vous voir, et elle ne vous a pas trouvée.*
> — *Comment ?* lui dis-je, *la Sainte Vierge est venue ?*
> — *Oui, ma Sœur, elle est entrée dans la chambre de communauté et elle vous a demandée. Comme vous n'y étiez pas, elle est allée dans votre cabinet. Elle s'est assise à votre place, et elle m'a dit : « Dites à ma Sœur Dufès qu'elle soit tranquille, il n'arrivera rien à cette maison, elle peut partir. C'est moi qui tiendrai sa place. »*
> Puis, ma Sœur Catherine m'annonça alors que je devrais quitter la maison, que je partirais avec Sœur d'Aragon, dont la famille voudrait bien nous donner l'hospitalité, et que je ne serais de retour que le 31 mai.

Sœur Dufès hausse les épaules. Un beau rêve !

Mais le « rêve » a frappé. Catherine est questionnée la dessus à la récréation. Sœur Maurel d'Aragon qui n'était pas là l'interroge le lendemain. Elle recueille une autre version qui se résume en ceci :

— *Quand j'ai vu la Sainte Vierge, j'ai été vous*

*chercher pour que vous lui fassiez les honneurs de
la maison, et c'est vous qui l'avez conduite au
cabinet de Sœur Dufès. Elle s'est assise au bureau
en disant qu'elle garderait la maison. Après quoi
elle disparut.*

La communication de Catherine n'est pas prise
au sérieux : mirage qu'on aime remuer dans les
périodes troublées. Elle est accueillie avec plus
d'humour que de tragique. Catherine elle même
est un peu étonnée d'avoir fait cette confidence,
elle qui n'est pas bavarde. En rencontrant Sœur
Dufès, ce même jour, elle lui dit :

— *Ma Sœur, il ne faut pas faire une trop grande
attention à ce que j'ai raconté.*

— *Oh, Ma bonne Sœur, je n'y ai même pas
pensé !* répond la Sœur Servante[27].

Pour tout le monde, ce n'est qu'un rêve fantai-
siste. Mais plus tard, lorsqu'il s'accomplira, Sœur
Dufès le tiendra pour une vision[28].

Catherine le lui aurait confirmé plus tard. Sœur
Claire d'Aragon est restée persuadée que si Catherine a parlé de *rêve,* sur le moment, « c'est par
humilité ». C'est pourtant comme un rêve que la
plupart des témoins le racontent[29].

Vendredi Saint
(7 avril)

La situation se corse en ce printemps chaud.

Le 7 avril, Vendredi-Saint, alerte dans l'hôpital
improvisé où les Sœurs soignent près de 200 soldats. Deux d'entre eux « sont allés dénoncer la
présence de deux gendarmes dans l'ambulance. Le
fait est exact »[30].

Ce sont deux blessés. Mais la nouvelle est
explosive, car « les gendarmes de Versailles fusillent et assassinent les patriotes », disent les affi-
ches de la Commune.

> La foule vient à la maison des Sœurs pour se saisir de ces deux hommes et les fusiller. Ils ne purent échapper, et furent emmenés au corps de garde.

L'issue paraît sans espoir. Mais Sœur Dufès accourt « à la Caserne de Reuilly ». Elle insiste :

— *Ces gendarmes n'ont pris part à aucune expédition contre le peuple. Ce sont des malades. Ils se trouvent dans l'ambulance par prescription d'un médecin !*

Son autorité obtient l'impossible. On lui rend les deux hommes.

— *C'est sous votre responsabilité !*

Les choses en restent là pour aujourd'hui.

Pâques violentes
(9 avril)

Le surlendemain, jour de Pâques, nouvelle et dernière visite de Monsieur Chinchon[31], car les audacieux voyagent en ces temps troublés : il va partir pour Bruxelles avant de rentrer à Dax. Il confesse. Catherine, sa pénitente depuis 20 ans, n'a pu manquer d'en profiter. Est-ce alors qu'il recueille d'elle les prophéties du cahier noir : « 15 centimètres sur 21 » dont le contenu impressionnera si fort Monsieur Serpette, à l'arrivée à Dax ? Monsieur Chinchon célèbre la messe qui manquait depuis longtemps. Merveille en cette fête de Pâques ! Dans le dépouillement et l'incertitude, l'Eucharistie prend toute sa valeur transcendante dans la mort et la résurrection du Christ et retrouve une portée insoupçonnée. La joie et la paix relativisent les privations, soucis et drames quotidiens.

Ce soir de Pâques, pendant la récréation, une foule de 100 communards, en armes, envahit de nouveau la maison. A leur tête, cette fois, celui qui a été promu Maire du XIIe arrondissement (Diaire, *Anfr* 1871, p. 395).

La libération des gendarmes a été contestée. Comment les représentants du peuple se sont-ils laissés influencer par les propos d'une Sœur, sans doute complice de la réaction ? Ceux qui avaient cédé, ce matin, ont perdu la face. La troupe hostile vient tumultueusement réclamer les deux gendarmes.

Les Sœurs résistent. L'une d'elles reconnaît, au premier rang, un homme qu'elle a nourri pendant le siège, avec sa famille :

— *Vous !* s'exclame-t-elle.

Il se dissimule tant bien que mal derrière les autres, mais n'ose intervenir pour calmer ses camarades.

— *Livrez-nous les deux gendarmes !*

— *Jamais !* répond Sœur Dufès.

Des sabres se lèvent, des mains se tendent vers elle, mais sans oser la toucher (n° 1360).

Un des mobiles parisiens, qui avait dénoncé les deux gendarmes, force le barrage des Sœurs, « suivi des gardes », et commence

> une perquisition dans la maison, pour trouver les deux proscrits qu'il connaissait parfaitement, ayant passé plus de deux mois avec eux. L'un d'eux était bien caché. Il ne le trouva pas. L'autre était dans son lit, et Dieu permit que le mobile le vît, passât devant lui et ne le reconnût pas[33].

L'échec de la perquisition suscite l'exaspération. Sœur Dufès encaisse le choc sans faiblir. Mais son autorité fond dans cette fournaise. L'un des envahisseurs porte la main sur elle. Il veut l'enlever de force :

— *Ce sont les gendarmes ou la Supérieure !* crie-t-il. *Elle s'est portée responsable !*

Des infirmiers et des soldats blessés la soutiennent[34]. Les 30 Sœurs (dont Catherine) arrivent et font corps avec leur Sœur Servante. On emmènera tout le monde ou personne ! La solidarité des 30 cornettes pose le problème de cet hôpital, dont le service doit être assuré. Le psychodrame tourne à l'humour :

— *Que voulez-vous que je fasse de toutes ces hirondelles effarouchées*[35] ? s'esclaffe le Maire du XIIe arrondissement.

Cette boutade sauve la situation. Mais il ajoute :

— *Vous aurez de mes nouvelles demain !*

> Nul n'a perdu la face. Il est 10 heures du soir. Les Sœurs sont stupéfaites de ces flambées de violence

dans leur propre pays. Le commandant a tenu un langage truculent, « inconvenant » ! Jamais elles n'avaient rien vu de tel, même celles qui ont été au Moyen-Orient ou aux États-Unis[36] !

Lundi de Pâques (10 avril)

Les Sœurs, qui ont beaucoup d'amis dans la place, sont discrètement prévenues qu'un « mandat d'arrêt » régulier est établi au nom de Sœur Dufès, pour « conspiration avec les d'Orléans », fondateurs de l'hospice d'Enghien[37]. Deux religieuses de Picpus, toutes voisines, et deux Filles de la Charité, ont été conduites à la prison de Saint-Lazare. Sœur Dufès n'y coupera pas. On la presse de disparaître.

Le Lundi de Pâques, 10 avril, à 11 heures, elle file, en profitant du moment où les gardes nationaux sont au cabaret[38]. Elle emmène avec elle, non pas Sœur d'Aragon, comme l'avait prédit Sœur Catherine, mais Sœur Tanguy. Elles parviennent le soir même à Versailles, où l'armée régulière a ses quartiers. Mais à l'arrivée, Sœur Dufès est prise d'anxiété. Quelle idée a-t-elle eue d'emmener avec elle Sœur Tanguy ? Elle laisse la communauté sans tête, dans une situation difficile !

En fait, la communauté a bien réagi. Elle a refait une tête, face à la situation dramatique...

Catherine au Quartier Général

Tandis que Sœur Dufès s'éclipsait, « une Sœur » que le *Diaire* de la Commune garde sous l'anonymat, a l'idée géniale de prendre les devants : elle se rend au Quartier Général des insurgés de Reuilly. Mieux vaut avoir la discussion chez eux que chez soi. Et cette diversion masque la fuite de Sœur Dufès.

Qui est la Sœur anonyme ? Ni Sœur Tanguy, qui vient de partir, ni la petite Sœur Mauche, qui est trop jeune. C'est Catherine, l'ancienne, déjà responsable de l'hospice d'Enghien[39], et suppléante de la Supérieure en son absence. L'anonymat sous lequel la gardent les notes de l'époque s'explique fort bien par la discrétion qui est de rigueur quand il s'agit de Catherine, dont le secret n'a que trop percé.

Elle vient calmement plaider la cause de sa Supérieure, devant le nouveau Maire du XIIe arrondissement. Cela lui rappelle le temps où son père était Monsieur le Maire à Fain. Mais ici, que de gaillards à ceinture rouge ! De quoi troubler de moins solides qu'elle.

Cette visite tourmente les communards, inquiets de leur relation avec les Sœurs, soutenues par l'opinion et reconnues d'utilité publique. Catherine est étonnée de la facilité avec laquelle elle a « pu pénétrer dans ce sanctuaire ».

> Elle se trouve en face d'une soixantaine d'indivi-
> dus, les uns assis autour d'une table, les autres
> armés de fusils ; d'autres mangeant ou fumant,
> tous emmaillotés de ceintures rouges qui leur
> montaient jusqu'au cou, écrit la chronique du
> *Diaire* avec une pointe d'exagération.

La Commune est au courant de l'affaire. A peine Catherine a-t-elle énoncé son plaidoyer sur le bon droit de Sœur Dufès qu'une bordée d'invectives l'accueille. Elle « subit » l'affront sans broncher, le temps qu'il faut, droite et calme.

Quand ils ont bien vidé leur sac, et que le silence revient :

— *Voulez-vous me permettre de m'expliquer,* demande-t-elle.

Le moment était bien choisi. D'instinct, Catherine a retenu la vieille règle de l'Évangile : devant les tribunaux, ne vous préoccupez pas de ce que vous allez dire, l'Esprit-Saint vous le suggérera. Elle s'explique, « courageusement, en peu de mots ». Son laconisme sert sa cause. Selon la chroniqueuse, son argument tient en ceci :

> La Supérieure était dégagée de sa parole, attendu qu'elle avait reçu de la Commune elle-même des laissez-passer revêtus du timbre officiel pour les gendarmes qui, naturellement, avaient pu s'en servir.

— C'est faux ! c'est faux ! lui crie-t-on. *Et d'ailleurs, vous auriez dû nous le dire.*

Le sang Bourguignon de Catherine ne fait qu'un tour.

— *Comment,* répond-elle, *est-ce à nous de faire la police ? Et dès lors qu'un laissez-passer nous est montré, revêtu de votre timbre, devons-nous le suspecter ?*

On veut la saisir, mais elle mise sur l'ordre et la régularité des prestigieux papiers où la Commune met son honneur :

— *Montrez-moi votre ordre, votre mandat !* dit-elle.

Ici, le commandant du détachement tire son sabre :

— *Voilà mon ordre ! Voilà mon mandat !*

Plusieurs hommes à ceinture rouge l'encerclent. Mais un des soldats, qu'elle a soigné à l'ambulance (un homme de cœur), s'est levé plus vite que les autres :

> Saisissant la Sœur par les deux bras, il l'arrache à ces furieux. Il y allait de si bon cœur que la Sœur a encore les bras tout bleus, note la chroniqueuse[40].

Catherine donnant des médailles pendant la Commune
(tableau de J.-M. Durand).

Peut-être avait-elle été d'abord saisie de plus
rude manière. Toujours est-il qu'elle quitte librement la mairie. Elle a gagné !

> Le soir, on fit partir les gardes nationaux qui
> occupaient la maison de Reuilly[41].

Les communards reviendront-ils ? se demandent
les Sœurs, tremblantes. Le récit du sabre dégainé
les impressionne, et les bras « tout bleuis » que
Catherine a dû montrer au retour.

La Commune espère encore durer. Pour cela, il
lui faut composer avec les Sœurs qui existent crâ-
nement dans ce quartier.

Médailles et insécurité

Le 23 avril, les combats s'intensifient. Un
matin, grand émoi. Une bataille se prépare pour
le lendemain. Des communards accourent mais
cette fois, c'est pour demander des médailles à
Sœur Catherine. Celles qu'elle a données ont
accrédité sa protection. Un jeune homme, enragé
blasphémateur, en veut une.

— *Où courez-vous comme cela ?* lui dit Sœur
Tranchemer.

— *Chercher une médaille !*

— *Mais vous ne croyez ni à Dieu ni à diable !
Qu'en ferez-vous ?*

— *C'est vrai* dit-il, *mais demain nous allons au
feu. Elle me protégera !*

— *Allez donc, et espérons qu'elle vous convertira,*
répond Sœur Tranchemer.

L'autre est prêt à tout pour obtenir ce qu'il
veut, et Catherine distribue généreusement, sans
acception de camp ni de personne. La Vierge
reconnaîtra les siens et convertira les autres.
Catherine s'en remet à Elle[42].

La vie continue à Enghien-Reuilly. Catherine
vaque à son travail, d'autant plus écrasant que le
nombre des Sœurs a diminué dans la tourmente[43].
De 33, les voici réduites à 14.

C'est l'essoufflement, avec les charges, le fourneau, les pressions de la Commune, l'insécurité
pour les vieillards et les enfants. On trouve le
moyen d'envoyer les vieillards-femmes à Ballainvilliers chez Sœur Mettavent, en zone tranquille.
Pour les orphelines, on en a renvoyé dans leur
famille, plus ou moins lointaine, celles qui en ont.
Mais il en reste une trentaine. Que faire ? Le Dr
Marjolin, médecin de l'hôpital Sainte Eugénie
(aujourd'hui Trousseau), voyant la situation,
« vient spontanément proposer » de les · « accueillir
dans sa maison de convalescence d'Epinay-sous-
Bois (Seine et Marne) ». Sœur Millon les y conduit « à l'abri de tout danger ».

> — *Je suis convaincue que c'est à la protection de
> la Ste Vierge que nous devons cet heureux événe-
> ment et que ma Sœur Catherine n'y est pas
> étrangère* a-t-elle dit au procès de canonisation
> (n° 966, 10 juin 1898, CLM 2, p. 293).

Comment la prophétie s'accomplit

A Versailles, cependant, Sœur Dufès, arrachée à
ses responsabilités, est dévorée d'inquiétude. Le
lendemain de son arrivée, 11 avril, la bataille a

commencé entre versaillais et communards. Que
va-t-il se passer dans la maison ? Et quelle idée a-
t-elle eue d'emmener avec elle l'élément le plus
solide et le plus dynamique de la communauté :
Sœur Angélique Tanguy ? Pour un peu, elle
repartirait ! Mais Sœur Tanguy prévient ce projet
suicidaire. C'est elle qui va retourner à Enghien.
Sœur Dufès accepte, soulagée :

— *Envoyez-moi Sœur Claire d'Aragon. Et si la
situation se prolonge, j'irai avec elle dans le midi.*

La famille de Sœur Claire habite près de Toulouse. Elle a fait des offres d'accueil. Et c'est également à Toulouse, à la maison Saint-Michel, que
Sœur Dufès a été nommée au sortir du Séminaire,
30 ans plus tôt.

Le 17 ou 18 avril, Sœur Tanguy repart donc
pour la maison d'Enghien. Elle y parvient sans
encombre et renvoie immédiatement Sœur Claire à
Versailles[44]. Sœur Dufès part aussitôt avec sa nouvelle compagne, pour Toulouse, où elle arrivera
vers le 20 avril. Elle va y rester plus d'un mois.
Ainsi se réalise la prédiction de Catherine :

— *Je n'y pensais même plus,* dira plus tard Sœur
Dufès. *Mais après, ce rapprochement me frappa
beaucoup* (ci-dessus, note 26).

Les citoyennes

Dès son retour, Sœur Tanguy a repris en main
la direction de l'école qui fonctionne, comme on
peut, à défaut de personnel et surtout de locaux,
avec l'envahissement des blessés. Dès le 18 avril,
semble-t-il, elle voit arriver deux femmes, des
citoyennes à ceinture rouge :

— *Nous venons remplacer les Sœurs.*

Elles ont un ordre de mission. Il s'agit d'édu-
quer les enfants selon le nouvel esprit, en évitant
« ce qui pourrait violenter les jeunes conscien-
ces ». Cela implique de ne plus « parler de
Dieu », d'« enlever le Crucifix, de ne plus faire le
catéchisme », etc.[45].

Ce jour là, les citoyennes ne vont pas plus loin, elles partent en disant :

— *Nous reviendrons !*

Cela ne tarde pas. Une ancienne élève de Sœur Angélique se présente pour prendre « la place de directrice » :

— *Comment, c'est toi, citoyenne !* répond l'ancienne maîtresse à l'ancienne élève, venue la supplanter. *C'est toi qui acceptes un pareil mandat ? Tu n'as pas honte !*

Elle ne veut rien entendre, s'installe au bureau, comme elle a vu faire à Sœur Tanguy, autrefois, et se dispose à donner un devoir aux enfants. Mais l'une d'elles se met à genoux. Les autres font de même :

— *Pardon, Madame, nous n'avons pas fait la prière. Notre maîtresse nous faisait toujours commencer par là*[46].

Une fois de plus, la solidarité est à contre-courant. Les Enfants de Marie surveillent la maison pour que rien n'y soit volé. Elles cachent progressivement ce qui paraît menacé[47].

Les citoyennes sont devenues le souci numéro 1. Elles sont là sur le terrain des Sœurs pour les supplanter. L'une d'elles est terrible : la « Valentin », que les témoins qualifient de « monstrueuse » sans plus de précision[48].

Catherine et la « monstrueuse » Valentin

Peu après la mi-avril, deux communards en armes traversent le jardin de Reuilly. Ils entrent au petit réfectoire d'Enghien et demandent Sœur Catherine. Deux Sœurs sont là, peu pressées de les renseigner. Ils posent leur revolver sous la gorge de l'une d'elles. Sœur Tranchemer intervient :

— *Malheureux ! ce n'est pas Sœur Catherine ! Remettez votre arme au fourreau et je vous la ferai connaître, si vous m'assurez qu'il ne lui sera fait aucun mal.*

— Je viens la chercher pour la conduire à Reuilly.
Le citoyen Philippe la demande, mais on ne lui
fera pas de mal. Je vous la ramènerai.
— Tenez, la voici !... Mais serrez vos armes. Les
Sœurs n'ont pas besoin de cela pour marcher, si
ce qu'on leur demande n'est pas contraire à leur
conscience.

Les Sœurs la voient partir, le cœur serré. On parle d'otages, d'exécutions. Elles se mettent en prière, gardent les « fenêtres ouvertes » et guettent le bruit d'une « détonation ». Deux heures passent, qui paraissent « mortelles ».

Et voici Catherine qui revient, escortée de ses deux gardes du corps. Ils ont eu beaucoup d'égards pour elle. Si elle avait été requise, ce n'était pas pour le procès des Sœurs, mais pour celui de « la Valentin »..., et comme témoin à charge[49]. La Commune en avait assez des exactions de cette exaltée. Elle voulait faire un exemple. Pourquoi citer Catherine ? Est-ce à cause de la confiance qu'elle inspirait ? Ou parce qu'elle avait particulièrement souffert de la « citoyenne » ?

Ce que le tribunal attendait, c'était la ferme accusation de cette Sœur qui sait parler justice. Surprise ! Elle se pose en témoin à décharge, et blanchit la Valentin. Décidément, c'est toujours de l'inattendu avec les Sœurs ! On n'arrive pas à savoir de quel bord elles sont. Voilà les juges obligés à la miséricorde !

Dernière Messe à Reuilly

Le soir du 23 avril, deuxième Dimanche de Pâques, Monsieur Mailly, Procureur de Saint Lazare, intrépide « passe-partout », vient prendre des nouvelles. Depuis quinze jours, elles n'ont eu « ni messe, ni communion ». Il promet de revenir le lendemain, et tient parole. Il est devenu habile

à passer inaperçu, selon les secteurs qu'il traverse.
Le voici, le lundi matin, 24. Son nouveau déguise-
ment fait rire les Sœurs. Elles lui trouvent « les
allures d'un artiste décorateur de troisième catégo-
rie » (sic). Mais il s'est muni d'un paquet contenant une soutane qu'il revêt en arrivant. Il célèbre
la messe, confesse jusqu'à 9 heures du matin et
s'éclipse[50].

Il fait bien, car cette messe a été repérée. Et
puis, il a laissé aux Sœurs tout un chargement de
provisions envoyées par les Anglais, pour les
familles pauvres. La distribution commence peu
après son départ.

Distribution agitée

« A 10 heures »[51], les délégués de la Commune
arrivent. Plus de 200 personnes font la queue,
dans la rue. Les Sœurs ont commencé leur travail.
Sur le conseil de Monsieur Mailly, soucieux de
prévenir la cohue et la colère des gens frustrés,
elles ont averti :
— *Bonnes gens, il n'y en aura que pour les premiers venus !*

L'attente est résignée, mais anxieuse :
— *Arrêtez la distribution !* commandent les délégués.
— *Messieurs, veuillez l'annoncer vous-mêmes, car
les femmes du quartier vont nous arracher les
yeux, si nous les renvoyons les mains vides !*
— *Certainement, répondent les délégués.*

Aussitôt dit, aussitôt fait :
— *La Commune réquisitionne les vivres !*
annoncent-ils.

Il en résulte un tapage monstre. Les délégués
doivent recourir à une escouade de gardes nationaux armés, pour faire enlever les tonneaux de
biscuits et de salé. Ce déploiement de force
n'arrange rien. « L'irritation populaire » prend les
proportions d'une émeute. Les délégués renon-
cent :

— *La distribution continue !*

— *Citoyens, faites-la vous-mêmes,* disent poliment les Sœurs.

Ce rôle avantageux les flatte. Mais il n'est pas facile de distribuer des vivres limités à une foule affamée. Soucieux de réparer la mauvaise impression, les nouveaux venus se font aimables. Ils tentent de « répondre » à tout le monde à la fois. Il en résulte un nouveau désordre : « un concert de clameurs et de cris » gagne « toute la rue ».

— *Voyez cette voleuse !* crie un gavroche, *voilà 3 fois qu'elle revient, après avoir déposé en lieu sûr ce qu'elle a déjà reçu !*

Le ton monte, on ne s'entend plus. Débordés, époumonés, les délégués demandent conseil aux Sœurs pour apaiser cette multitude. Elles s'y emploient. L'ordre revient avec la confiance. Ils s'en étonnent :

— *Est-ce que vous avez souvent des scènes de ce genre ?* demande l'un d'eux, au terme de la distribution.

— *Mais, Monsieur, tous les jours, au fourneau !*

— *Eh bien ! je vous souhaite beaucoup de plaisir*[52].

Ils s'en vont.

Catherine est toujours très calme. Elle dit :

— *Soyez tranquille, il n'arrivera rien*[53].

Elle continue de soigner vieillards et blessés. La pénurie croissante la navre, mais elle sait le faire accepter sans panique.

Médailles et ceintures rouges

Elle tient souvent la loge, rue de Picpus, n° 12 : côté Enghien[54] où il faut avoir l'œil. Ses médailles ont du succès. Les communards de garde se font relever par leurs camarades, pour venir en chercher. Elle en donne à tout venant, avec un mot d'exhortation adapté à chacun[55]. Voilà même Siron, le chef des occupants, un ancien galérien, qui vient en demander une. Catherine ne fait pas acception de personne. Et ce forban sans dissimulation dit ouvertement :

— *J'en suis tout changé !*

Il va se faire le défenseur des Sœurs[56].

Le paroxysme

Il y en a besoin. Car la lutte se durcit entre Versailles et Paris. La violence s'exaspère dans les combats désespérés. Le 28 avril, un club vote la mort de l'archevêque de Paris[57].

A Reuilly, les accusations sont lancées contre les Sœurs. Les imaginations flambent en cette heure où grandit une des plus vieilles nécessités sociales du monde : celle de trouver des boucs émissaires[58]. Les Sœurs sont accusées d'avoir tué 3 femmes du quartier[59]. Catherine est convoquée par le citoyen Philippe pour un interrogatoire dont elle se tire à force de calme (ci-dessus, note 50). Le 28, des hommes en colère arrivent, fusils chargés. Ils envahissent la salle de communauté. Les Sœurs, réunies au nombre de 14, se réfugient au premier étage de la lingerie, juste au-dessus. A travers le plancher, elles entendent cris et menaces.

Viatique

Le lendemain, l'une d'elles, redoutant la profanation va prendre le ciboire à la chapelle. Elle le dépose sur une petite table, entre deux bougies allumées. Dans la paix, elles adorent en attendant la suite. Le sacerdoce des fidèles reprend ses dimensions en temps de crise.

En bas, les occupants découvrent les bouteilles de vin destinées à l'ambulance. Étaient-elles dans ce fameux « caveau », qui sera la dernière demeure de Catherine ? Ces bouteilles n'ont pas été cachées par les Enfants de Marie. Les bouchons sautent. La perquisition, encouragée par cette aubaine, continue dans une euphorie exaltée d'où émergent des menaces de mort contre les Sœurs. Les délégués montent à grand bruit. Ils hésitent devant la porte de la lingerie. Ils s'encouragent les uns les autres :

— *On entre ?*

Siron est là. Il les arrête et crie à travers la cloison :

— *Ne craignez rien, mes Sœurs, on passera sur mon corps avant d'arriver jusqu'à vous !*

Là-dessus, il se couche en travers de la porte et s'endort, sous l'effet des libations. Les autres font de même.

Que faire ? A minuit, au passage du 29 au 30 avril, les Sœurs se communient, de leurs mains[60]. Est-ce le viatique ? Elles se sentent fortes, comme Elie, pour marcher 40 jours et 40 nuits. Le silence est revenu. Elles entr'ouvrent la porte. Les communards sont profondément endormis. Sur la pointe des pieds, elles enjambent les gisants[61].

Elles gagnent une autre partie de la maison et préparent le départ. Il en coûte à Catherine de quitter ses vieillards. S'il n'y avait qu'elle, elle resterait. Mais ce n'est plus elle qui commande. Il faut obéir.

La couronne

Avant de quitter la maison, elle va s'agenouiller une dernière fois devant la statue de Notre-Dame. Demain sera le 1er mai — c'est la vigile du mois de Marie — :

— *Nous serons rentrées avant qu'il soit fini !* dit Catherine.

Les Sœurs prient et chantent un cantique. « Pas une communarde n'ose intervenir. Même la Valentin ! » Catherine enlève la couronne de la statue, pour la soustraire à toute profanation[62] :

— *Je vous la rendrai,* confie-t-elle à Notre-Dame.

Les occupants les laissent partir après les avoir soumises à une fouille minutieuse. Ils vident sur le sol leurs sacs bleus, non sans quolibets[63].

— *Ne vous émouvez pas, il n'arrivera rien de grave,* dit Catherine aux Sœurs inquiètes (n° 1256, cité note 53).

3. L'EXODE

A 6 heures du soir, elles s'embarquent dans un omnibus. Sur la route, l'ambiance est fiévreuse. La foule, montée contre tout ce qui touche le clergé, insulte les Sœurs[64]. Mais le trajet est direct et rapide : une heure plus tard, à 7 heures, elles arrivent à Saint-Denis, chez Sœur Randier.

Saint-Denis

Philippe Meugniot, le neveu de Catherine, y est passé ce jour-même. Il vient de partir

> avec une tournure de commis voyageur déclassé, les mains dans les poches, sans bréviaire, bien entendu, muni seulement de je ne sais quel passe-port étranger qu'il a fait voir aux « outrances »[65].

Le document désigne ainsi les agents de la Commune « partisans de la guerre à outrance », contre les Allemands[66]. Catherine a manqué de peu son neveu reparti pour Loos, où il enseignera presque sans livres[67].

Sœur Randier fait bon accueil. Elle a été la troisième Supérieure de Catherine à Enghien, de 1852 à 1855. Malheureusement, l'administration ne l'autorise à garder qu'une seule personne.

La communauté de Reuilly se disperse, selon les occasions ou affinités familiales ou communautaires[68]. La moitié avait bifurqué avant d'arriver à Saint-Denis. Dès le lendemain, Sœur Angélique part pour Toulouse retrouver Sœur Dufès.

Le lendemain, 1er mai, vers 11 heures, il ne reste plus à Saint-Denis que les deux anciennes, Sœur Catherine, 65 ans, et Sœur Tranchemer, 45.

Dans l'incertitude, la dispersion et la décontraction, Catherine sent refluer en elle tout l'arriéré de fatigue, de tension. La pensée de la mort lui vient, avec le souci de tout ce dont elle reste redevable à Notre-Dame : tout ce qui lui a été encore refusé. Au moment où Sœur Angélique, vaillante et jeune va rejoindre Sœur Dufès, où les autres s'éparpillent, elle éprouve le besoin de ne pas rester seule, mais, peut-être aussi, de soutenir la tête fragile de Sœur Tranchemer.

Tandis que les versaillais commencent le bombardement de la capitale, elle dit à sa compagne :

— _Nous voilà seules, nous les anciennes. Qu'allons-nous faire ?_

— _Ma Sœur Randier veut bien vous garder._

— _Oui, mais moi seule._

Elles descendent au jardin :

— _Je ne suis pas bien,_ confie Catherine. _J'ai mon âge. Je puis mourir. J'aimerais avoir une compagne auprès de moi. Voulez-vous me suivre ?_

— _Mais oui, ma Sœur Catherine ! à votre disposition !_

— _Merci ! Nous ne nous quitterons plus !_

Là-dessus, elle va remercier Sœur Randier, qui les encourage à se reposer jusqu'au lendemain.

Ballainvilliers
(2-30 mai)

Le mardi 2 mai, les deux anciennes partent pour Ballainvilliers. Catherine précise alors à sa compagne :

— _J'ai quelque chose à vous confier au moment de la mort. Je ne puis le dire à des Sœurs étrangères. Je désirerais une compagne. Et c'est vous... Partons donc !_

Elle se met en route, avec un « bon sourire ». Ce même mardi, vers 5 heures du soir, toutes deux sont « installées » au « château de Ballainvilliers »[69], chez Sœur Mettavent[70].

C'est une maîtresse femme, sur la cinquantaine commençante. Elle a bourlingué au Moyen-Orient : Constantinople, Alexandrie. Elle y a connu le pire : choléra (1865), émeutes, calomnies, océan de misères, mortalité effrayante. Nommée à Ballainvilliers, peu avant 1870, elle y a déjà établi un orphelinat, une école maternelle, une pharmacie, en plus de la classe qui existait à son arrivée. Pendant la guerre, elle a organisé deux ambulances, recueilli des vieillards abandonnés. Son intervention auprès des prussiens a sauvé plusieurs condamnés, dont un père de famille. Rencontrant un jour une colonne de 300 prisonniers français, mourant de froid et de faim, elle a pris sur elle de réquisitionner, dans les boulangeries, tout ce qu'on a pu faire cuire. Elle l'a distribué à la vue des Prussiens, médusés d'admiration. Dès l'ouverture des portes de Paris, après le siège, elle était partie avec une grande voiture, pour ravitailler la Maison-Mère, où elle avait été économe de 1866 à 1868. Les sentinelles allemandes l'avaient refoulée, comme les autres. Mais un officier prussien l'avait reconnue. Il avait pris la bride du cheval, et l'avait fait passer, avec toutes ses provisions. A Ballainvilliers, elle préserve maintenant le pays du pillage, et organise des distributions équitables. Elle a même pris soin de cacher une provision de blé. Elle la réserve pour la semence. Elle la donnera aux paysans enfuis, à leur retour.

Catherine et sa compagne coopèrent de bon cœur avec la vaillante maîtresse de céans. D'autant qu'elle y avait accueilli depuis plusieurs semaines, les vieillards-femmes de Reuilly. C'est une des raisons qui ont attiré ici Catherine[71]. Elle se retrouve en pays de connaissance.

Elle écrit à Sœur Dufès une lettre de 8 pages. Cette missive, malheureusement détruite, a laissé le souvenir d'une prédiction qui paraissait alors folle : toute la communauté serait à Reuilly pour la clôture du mois de Marie[72] !

Le mois de mai s'avance. Les violences ne font que s'exaspérer.

Plus question pour les prêtres de circuler en soutane, sous peine d'être arrêtés[73]. Les Lazaristes s'habillent « en laïcs, en bourgeois, en pékins », comme on dit alors :

— *On croira tout perdu, les églises seront fermées,* avait dit Catherine.

Le 16 mai, la colonne Vendôme est abattue, au milieu d'une fête populaire confuse[75].

Le 18, un bataillon de « vengeurs de la Républi-que » saccage Notre-Dame des Victoires[76], siège d'une archiconfrérie mondialement répandue, dont l'insigne est la Médaille Miraculeuse. Catherine l'apprend :

— *Ils ont touché Notre-Dame. Ils n'iront pas plus loin.*

A Cécile Delaporte, la lingère de Reuilly, une laïque avec qui elle a souvent travaillé, elle con-firme tranquillement :

— *La Sainte Vierge garde notre maison. Nous la retrouverons intacte*[77].

Mort de l'archevêque

Le 21 mai, les troupes versaillaises pénètrent dans Paris, par la porte de Saint-Cloud[78]. Une semaine de durs combats commence. Les otages, pris par la Commune sont menacés. Le 24 mai, dans la prison de la Roquette, Mgr Darboy, archevêque de Paris, est fusillé, ainsi que le curé de La Madeleine, 5 jésuites, 15 autres prêtres et 45 gendarmes[79].

Catherine avait entrevu la mort de l'archevêque, depuis 40 ans. Monsieur Chinchon, son confes-seur, avait recueilli cette prédiction, lors de son passage à Reuilly, en fin mars. Il la tenait consi-gnée dans un cahier noir. De retour à Dax, le 19 mai, il a confié cette prédiction à ses confrères, dans la matinée : 5 jours avant le massacre des otages, assure Monsieur Serpette, jeune Lazariste

(22 ans), témoin de l'entretien. Saisi par cette annonce, il a été trouver, le soir même, Monsieur Chinchon, le confesseur de Catherine, qui a feuilleté avec lui le fameux cahier noir[80] :

> Il me lut deux lignes, prédisant la mort de Mgr Darboy[81]. Il me dit que les autres prêtres aussi seraient mis à mort... Ses larmes coulèrent... Il me congédia, sans me donner sa bénédiction, comme c'est l'usage à la fin de la communication spirituelle. Il était trop émotionné. A partir de ce jour là, dès que nous pouvions parler à quelques prêtres, lisant le journal, je demandais toujours s'il y avait des nouvelles de l'archevêque de Paris. Elles arrivèrent enfin, terribles[82].

Malheureusement, ce cahier n'a pu être retrouvé ni même exactement identifié.

Paroxysmes et protections

Le 27 mai, Sœur Tranchemer, qui revient de Longjumeau, voit les lueurs de l'incendie, au centre de Paris. Elle s'exclame :
— *Paris brûle ! Que va devenir la Maison-Mère*[83] ?

Catherine est imperturbable :
— *Ne craignez pas pour nos maisons, la Sainte Vierge les garde. Ils n'y toucheront pas.*

Pourtant, la communauté vit en plein drame. Saint-Lazare a été cerné par les gardes nationaux. Le 105e de Ligne a installé un poste permanent dans le parloir. Les derniers petits frères Lazaristes quittent la capitale pour Dax. On voudrait évacuer aussi les Sœurs du Séminaire, mais les délégués s'y opposent toute la journée. C'est à 10 heures du soir qu'elles prennent le train pour le Berceau de saint Vincent de Paul, le 27 mai.

A la Maison-Mère, il n'y a plus de messe depuis plusieurs jours. Monsieur Mailly continue d'en célébrer, de-ci, de-là. Le 24 mai, il a pris le risque de passer le mur des Incurables (aujourd'hui Laennec) pour dire une messe dans la chapelle de la Médaille Miraculeuse[84].

Les obus pleuvent. L'un d'eux frappe le mur du Séminaire et rebondit sur le seuil du réfectoire Saint-Joseph. Il n'a pas éclaté. Un autre pénètre dans un dortoir et met le feu. Un commando se glisse dans l'hôpital des Incurables et tire dans la maison. Les fédérés ripostent, de l'infirmerie, des cuisines, du jardin. La Supérieure générale réunit la communauté à l'ouvroir Saint-Joseph. Elle donne ses consignes. A l'intérieur, les Sœurs prient. Dehors, on « chassepote ». Le Conseil d'État, les Tuileries, le Louvre sont en flammes. L'après-midi, violentes détonations : c'est la poudrière du Luxembourg qui saute. L'incendie se propage durant cette journée du 24 mai, jusqu'aux quais de la Seine. Les combats font rage, les cadavres s'alignent sur les trottoirs. Mais *point de victimes* parmi les Sœurs.

Pourtant, c'est drame sur drame, urgence sur urgence, incertitude sur incertitude. Une barricade est édifiée rue d'Enfer, près de l'asile des Enfants Trouvés, tenu par les Filles de la Charité. Les insurgés, en position intenable, donnent l'ordre d'évacuer, car ils vont incendier la maison. En un quart d'heure, il faudrait emmener 700 bébés en plein combat. C'est impossible ! La Sœur Servante se jette aux genoux du commandant. Il revient sur sa décision en disant :
— *Ma Sœur, je crois en Dieu, votre maison ne sera pas brûlée.*

Il donne l'ordre aux canonniers d'emmener les pièces déjà en batterie. Il est obéi. Mais on ne revient pas impunément sur un ordre désespéré. Les insurgés le saisissent et le fusillent sur place pour avoir affaibli la résistance[85].

Comment se fait-il qu'ici encore les Sœurs et tous leurs malades soient indemnes, rue du Bac, rue d'Enfer et ailleurs ?

Le 28 mai, l'armée versaillaise maîtrise Paris.

4. RETOUR A ENGHIEN (31 MAI)

Sœur Dufès est rappelée de Toulouse par dépêche. Elle retrouve, à Versailles, les compagnes de Ballainvilliers : Catherine et Sœur Tranchemer[86]. Elles souhaiteraient rentrer dès ce mardi 30, mais il faut un permis, elles perdent du temps à l'obtenir. Le départ est remis au lendemain 31 mai.

A 5 heures du matin, elles assistent ensemble à la messe, où Sœur Eugénie Mauche, la petite Sœur des oranges au rhum, future Supérieure générale, prononce ses vœux. Tôt dans la matinée, ce mercredi 31 mai, Sœur Dufès est à Reuilly, avec toute sa communauté, sauf Sœur Claire, sa compagne restée dans le midi : elle ne les rejoindra que le 4 juin[87].

Voici donc ce rendez-vous du 31 mai que Catherine attendait en confiance[88]. La statue du jardin a subi des assauts. Elle a été revêtue d'une étoffe rouge, elle est peut-être abîmée[89]. C'est à la Vierge de la « chapelle d'Enghien » que Catherine rend la couronne enlevée le 30 avril. Ce n'est pas la statue qui importe, mais celle qu'elle représente :

— *Je vous l'avais bien dit, ma bonne Mère, que je reviendrais vous couronner avant la fin du mois*[90].

La maison est en désordre, mais les dégâts sont insignifiants[91]. Les Enfants de Marie ramènent les objets qu'elles avaient mis à l'abri[92]. Sœur Dufès repense au songe de Catherine et à la promesse de Notre-Dame :

— *Je garderai la maison. Vous serez rentrées avant la fin du mois de Marie*[93].

Les deux familles de saint Vincent ont été incroyablement protégées. Les récits en circulent, innombrables, avec actions de grâces. Ils ont été notés, l'année même, en grand nombre, dans la chronique de ces temps héroïques[94].

De jeunes Lazaristes en sont troublés, scandalisés. Pourquoi cette protection pour les deux familles de Monsieur Vincent, alors que tant d'autres, y compris religieux et religieuses ont souffert jusqu'à la mort ! Monsieur Fiat devra dépenser beaucoup d'ingéniosité pour rassurer ces frustrés de la croix[95].

On les comprend, car la paix revenue est rude et violente.

A Reuilly, des communards blessés ont été installés dans le dortoir des orphelines, transformé en ambulance, pour y être soignés. Mais dans l'attente d'un jugement inexorable Sœur Dufès les confie à Sœur Mauche (25 ans), si réputée près de ses malades, durant la famine, pour son « bon chocolat », son « bon café au lait », et son bon cœur. Elle est forte des vœux faits ce matin, à la Messe, avant le départ pour Reuilly.

En lui confiant ses malades, on lui apprend le sort qui les attend. Ils sont là une trentaine. Elle était un peu effrayée de leurs visages, méfiants ou hostiles, de leurs regards anxieux. Et la voilà écrasée d'une crainte plus lourde, plus irrémédiable. Que faire ? Elle recourt à Sœur Catherine qui a donné tant de médailles aux insurgés :

— *En avez-vous encore ?*

Elle en reçoit une poignée avec des encouragements :

— *Allez, ma petite, ne craignez rien !*

Sœur Eugénie craint de provoquer des blasphèmes, et de précipiter l'impénitence finale. Elle attend, deux jours durant, un moment favorable. Un soir une idée lui vient. Elle prend son courage à deux mains :

— *Mes amis, j'ai quelque chose à vous demander.*

— *Que voulez-vous ?*

— *La permission de réciter une prière.*

— *Faites, Ma Sœur !*

Ils ne devinent que trop le sort qui les attend. Ils ont enlevé leur bonnet de coton, et l'on jeté sur leur lit. Sœur Eugénie commence avec ferveur, mais à la fin du *Notre Père*, elle fond en larmes. Tous la regardent, surpris :

— *Mes pauvres amis, c'est pour demain !*

Le silence tombe. L'émotion est telle que Sœur Eugénie n'ose proposer les médailles. Elle s'en va dans une pièce voisine. Elle les enfile chacune à un cordon. La nuit est arrivée. Elle prie, et doucement, dépose une médaille sur chaque oreiller.

Quand elle quitte le dortoir, vers 4 heures du matin, pour la messe, les blessés dorment. La médaille est toujours sur l'oreiller. Quand elle remonte, ils l'ont au cou, ils la lui montrent, en la remerciant. Entre temps, ils se sont confessés, sur proposition de Sœur Dufès. Un prêtre est venu. C'était un ancien otage de la Commune. Il s'est retiré profondément édifié.

A 7 heures du matin, des voitures et brancards viennent les prendre pour les conduire à Versailles. Ils sont très calmes. Ils remercient les Sœurs. Ils seront tous exécutés[96].

L'armée versaillaise a perdu 877 hommes. Elle en a fusillé 20 000 dans les rues, durant la semaine sanglante (21-28 mai). Elle a arrêté 38 578 suspects dont 1064 femmes et 614 enfants. La vie a repris dans un bain de sang.

A Enghien-Reuilly, les Sœurs remettent en ordre la maison. Les classes reprennent. Catherine retrouve ses vieillards. Ils ne l'ont pas oubliée. Durant le mois de mai, ils répétaient souvent aux citoyens infirmiers :

— *Ce que Sœur Catherine faisait, nous le ferons*[97].

Elle n'a plus que 6 ans à vivre.

7. *Déclin ou vie montante (1871-1876)*

Le retour

Le 31 mai 1871, Sœur Catherine a retrouvé l'hospice, la basse-cour, la porterie. L'ambiance est celle des retrouvailles. Les pauvres, plus nombreux après tant de bouleversements, sont heureux de la revoir, à la porte, présente et secourable. Ils savent qu'ils sont ses préférés.

Les vieillards lui font fête, car chez eux, nulle Sœur n'est « aimée autant qu'elle », témoigne Sœur Millon[1]. Ils aiment son équité, sa vigueur qui fait régner l'ordre au bénéfice de tous, mais surtout son attention prévenante pour chacun, parfois bourrue, mais toujours là. Ils savent bien qu'elle les aime, et qu'ils peuvent compter sur elle.

1. LES TRAVAUX ET LES JOURS

Catherine a passé les 65 ans, mais se lève toujours au son de la cloche, à 4 heures du matin. Sa vieillesse reste solide. Sa prière, exemplaire et sobre : Elle se tient droite, immobile, les mains à peine appuyées sur le prie-Dieu, le regard transparent fixé sur le tabernacle ou sur la statue de Notre Dame.

La doyenne

Pour la sainte Catherine, 25 novembre 1871, Catherine, devenue depuis 4 jours la « doyenne » de la communauté d'Enghien-Reuilly, est gratifiée de ce poème en vers de mirliton tels qu'on savait les faire en ce siècle.

> Si dans les Cieux on chante une sainte bénie,
> On fête aussi sur terre, une Sœur bien chérie :
> *La doyenne d'Enghien* qu'entoure notre amour,
> Et que nous voudrions garder toujours, toujours.

Catherine fut plus sensible à ce « compliment » qu'un de ses vieillards lui adressa, au nom de tous les autres :

— *Ma Sœur, vous êtes bonne pour tous. A table, vous nous demandez toujours :* « *En avez-vous assez ?* » (n° 920, Sœur Tanguy, CLM 2, p. 236).

Pourquoi ces compliments ? Est-ce parce que le courage et les prédictions de Catherine pendant la Commune lui ont valu son heure de gloire ? C'est, bien davantage, parce que la très vénérée doyenne de la communauté, Sœur Vincent Bergerault, 75 ans, née depuis l'autre siècle, dernier témoin de la fondation (1819), est morte quelques jours avant, le 21 novembre 1871. Cette cuisinière parcimonieuse avait été une épreuve pour Catherine ; mais avait une vraie réputation de sainte.

On avait admiré son courage héroïque pendant sa longue maladie. Durant la Commune, c'était déjà un cadavre ambulant, qu'il avait fallu rhabiller, après l'Extrême-Onction, pour la transporter tant bien que mal à la Maison-Mère, lorsque les Sœurs furent chassées de Reuilly, le 30 avril.

Pour tout couronner, elle était morte le 21 novembre, en la fête de la Présentation de la Vierge et, le secret restant ce qu'il était, certaines étaient portés à voir en elle la voyante de la Médaille miraculeuse[2].

Une ancienne peu honorée

Catherine, la nouvelle doyenne, ne bénéficiait pas de la même vénération que Sœur Bergerault. Son genre de sainteté fruste décevait. Sa simplicité paraissait excessive. Sa vieillesse ne lui faisait pas une auréole.

Catherine n'a pas voix au chapitre dans les décisions communautaires. Elle accepte ce mépris qui la protège. Un jour, sa nièce Léonie Labouré lui demande :

— *Ma tante, comment se fait-il que vous soyez toujours dans la même maison, depuis plus de 40 ans !*

— *On ne change que les Sœurs intelligentes,* répond Catherine qui n'est pas dupe (n° 1280, Léonie Victoire Labouré, 2 juillet 1909, PAspec 34, p. 497).

Intuitions et intercessions

Peu consultée en haut lieu, elle est plus que jamais une référence et un recours, toujours disponible, pour les jeunes Sœurs, essoufflées par cette maison surmenée d'un bas quartier, qui déroute encore leur inexpérience.

Sœur Félicité Hébert (26 ans), qui doit quitter

Léonie Labouré, nièce de Catherine.

la maison pour raison de santé, se recommande à
ses prières et reçoit cette réponse réconfortante :

— *Oh ! vous, ma petite, la Sainte Vierge vous*
aime beaucoup ! Vous pouvez être bien tranquille.
Tout ira bien[4].

La maison a vite repris son essor, après le
retour de Sœur Dufès, qui multiplie les projets à
une cadence essoufflante pour les vieux ans de
Catherine, toujours traitée rudement, toujours sans
amertume[6].

Marie et Gabrielle
(1872)

Au printemps 1872, deux postulantes arrivent à
Reuilly : le 10 mai, Gabrielle de Billy, dont la
famille tient le haut du pavé ; le 25 juin, Marie
Lafon, fille d'un cultivateur d'Aurillac, elle a
gardé de la vieille Sœur un chaleureux souvenir.

Pour l'acclimatation des postulantes, la règle les
autorisait à se promener avec leurs familles. Vers
la fin juin, une calèche s'arrête donc devant le 77
de la rue de Reuilly. Monsieur et Madame de
Billy, conduits par leur cocher, viennent prendre
leur fille pour l'après-midi. Et Marie, la petite
paysanne, reste seule. Cela ne fait qu'un tour
dans la tête de Catherine. La voilà chez Sœur
Dufès avec un prétexte pour aller rue du Bac. Elle
ne connaît rien de mieux, ici-bas ! La permission
est accordée. Catherine ajoute :

— *Vous me permettez d'emmener « la petite » ?*

Bibi, le cheval de la communauté est-il pris par
d'autres travaux ? Toujours est-il que la promenade se fit à pied, mais gaiement, entre la postulante de 23 ans, et la Sœur de 66. Elles s'entendent comme deux amies, sinon comme deux com-
plices. Sœur Cosnard, qui a maintenant un poste
au Séminaire taquine, à l'arrivée (serait-ce un brin
de jalousie ?).

— *Oh oh ! ma Sœur Labouré, je crois que vous*

avez une petite préférence pour Mademoiselle Marie !

Ici, la tête de notre bourguignonne s'échauffe. La réponse part avant toute réflexion :

— *Ma foi, lorsque Mademoiselle Gabrielle va se promener en voiture, Mademoiselle Marie peut bien se promener à pied !*

> Pour moi, raconte candidement cette dernière, je n'avais pas fait le rapprochement entre l'autre postulante et moi. Mais ma Sœur Catherine y avait pensé, dans la crainte de me voir en peine.

L'autre souvenir de Sœur Marie est celui d'un soir d'été un peu fou, dans un de ces lourds couchers de soleil qui n'en finissent pas. Un vieillard était mort à Enghien, sous cette canicule. Et l'on parlait d'un aliéné qui s'était évadé, la veille, de l'asile voisin. Un peu émue de ces événements, « Mademoiselle Marie », les a oubliés en faisant la classe du soir aux jeunes ouvriers qui fréquentent les cours de Reuilly. Ils ont bavardé avec elle, et c'est après 9 heures qu'elle rentre à l'hospice d'Enghien. L'action lui avait fait oublier les craintes. La nuit les réveille. Sa robe longue frotte sur les feuilles mortes. Le frou-frou lui donne l'impression d'être suivie. Elle se hâte, le frottement s'intensifie. Elle fonce vers la porte d'Enghien toute proche. Mais voici, devant elle, dans la cour, une forme noire. Est-ce un fantôme ? ou le fou évadé ? Marie cherche un raccourci par l'escalier extérieur, qui monte au dortoir. Fatalité ! la porte est fermée à clé. La jeune postulante frappe, elle tambourine en criant :

— *Ma Sœur Labouré ! Ma Sœur Labouré !*

Tandis que Catherine se hâte de descendre à son appel, Marie discerne mieux le fantôme noir qui approche : ni le fou, ni le mort. C'est Monsieur l'Aumônier qui rentre chez lui ! Sœur Labouré ouvre la porte, la chandelle à la main.

— *Qu'y a-t-il, mon enfant ?*

Marie, confuse, balbutie son émoi : le mort, le

fou, les feuilles... Catherine va-t-elle se moquer de
la petite postulante si peu vaillante ? Non, elle
l'accompagne au dortoir à travers les couloirs
sombres, où la chandelle promène au plafond des
ombres désormais sans menace. Catherine a enlevé
le dessus de lit. Elle disparaît dans la tisanerie,
pendant que Marie enlève ses vêtements. Elle
revient avec un verre d'eau sucrée à la fleur
d'oranger.

Là-dessus, « la petite Marie » dormira « comme
un troupier ». A 4 heures, la cloche sonne le
réveil. Elle essaie de lever des paupières lourdes.
Mais un chuchotement très doux la rassure :

— *Chut ! chut !* dit Catherine à ses compagnes, *la
petite dort...*

Les postulantes étaient progressivement entraî-
nées au lever de 4 heures. Elles « dorment » plus
tard, 3 fois par semaine, durant le premier mois,
2 fois le second, et pouvaient être excusées
ensuite, selon leur état. Catherine, responsable de
la maison, avait diagnostiqué pour elle la nécessité
d'une grasse matinée[7].

Catherine se sent plus proche des jeunes, à
mesure qu'elle voit s'élaguer les rangs de sa génération, tandis que l'âge moyen prend en main les
principales charges de la maison. Elle songe
davantage à la mort comme à une échéance proche.

Voyage au ciel

Peu après la Commune, elle fait ce rêve qu'elle
raconte ingénuement à sa nièce Marie-Antoinette :

> Je venais de mourir et j'arrivais au ciel, où
> j'entrais par une porte très brillante. J'y rencon-
> trais d'abord mon père, puis le plus jeune de mes
> frères [Auguste], puis ta mère. Je dis à mon
> père :
> — *Louise n'est donc pas là ?*
> Louise était l'aînée de ses sœurs.

Alors mon père me répondit :
— *Non, elle n'est pas là. Mais nous l'attendons !*

Rêve macabre ! Ni Auguste, ni Tonine (la mère de l'interlocutrice) n'étaient morts. Réaliste et taquine, Marie-Antoinette s'exclame :
— *Mais, ma tante, il ne faut pas croire aux rêves, c'est de la superstition !*
— *Il y a rêve et rêve,* répond sentencieusement Catherine[8].

Voulait-elle dire « qu'il y a des rêves auxquels il faut croire ? Quel degré de confiance attachait-elle à celui-ci ? ».
— *Elle ne me l'a pas dit,* ajoute Marie-Antoinette.

Mais la songeuse tenait à ce rêve. Elle l'a raconté plus tard à son neveu Philippe Meugniot, le frère de Marie-Antoinette, dont la version diffère un peu. Catherine, arrivant au ciel, avait dit à Tonine :

— *Comment, toi la plus jeune, tu es arrivée au ciel la première ?*
— *Pourquoi pas ?* avait répondu Tonine.
— *Ce rêve m'a beaucoup frappée,* disait Catherine, quoi qu'elle affectât de ne pas trop y croire.

C'était en décembre 1873. Philippe était venu confier à sa tante un gros souci : à 29 ans, il venait d'être pressenti pour devenir Supérieur du petit Séminaire de Saint-Pons, dans le diocèse de Montpellier. Et la maison était en « difficultés » :
— *Priez pour que cela ne se fasse pas !* dit-il à Catherine.

Elle répond tranquillement :
— *Je prierai pour que la volonté de Dieu se fasse.*
« La volonté de Dieu » confirma sa lourde charge[9].

Ni lui, ni elle, ne semblent avoir reparlé alors de la prédiction qu'elle lui avait faite, étant gamin :
— *Si tu veux venir chez ces Messieurs..., on peut devenir Supérieur.*

Il le devenait, *avant 30 ans,* âge exceptionnel. Il
ne semble pas avoir rappelé non plus à sa tante,
sa confidence de 1871 : comment elle lui avait
donné le mauvais exemple, en refusant *pour elle*
une charge de Supérieure...

Avec l'âge, elle se fait plus ouverte aux confidences. C'est vers cette même date (1873 ou 1874)
qu'elle raconte à sa sœur Marie-Louise, en présence de Sœur Cosnard, (maintenant « Sœur
d'office » au séminaire), le songe qui avait illu-
miné le chemin de sa vocation : l'appel du vieillard en qui elle avait reconnu, longtemps après,
Monsieur Vincent. Sœur Cosnard est impressionnée par son accent, lorsqu'elle parle de ce *regard*
qui lui reste présent (chapitre 2, note 65).

Adieu à Tonine

Le rêve prémonitoire sur les morts familiales,
avait commencé à se vérifier dès octobre 1872.
Tonine tombe alors malade. En avril 1873, elle
s'alite définitivement. Elle souffre beaucoup.
Catherine la visite fréquemment, à l'heure de la
récréation, car sa maison est toute proche : 5 rue
Crozatier, dans le XIIe arrondissement. C'est un
soulagement pour Tonine.

A la mi-janvier 1874, elle tombe dans une
sorte de coma. Tournée vers le mur, elle ne semble plus en état de changer de position. Pour la
soigner, il a fallu tirer le lit au milieu de la chambre. Elle ne parle pas et semble sans connaissance.
Catherine est prévenue. Elle arrive le 16 janvier, à
13 heures : l'heure de la récréation. Elle est comptable du temps de ses vieillards.

C'est la première fois qu'elle trouve Tonine
dans cet état. Marie-Antoinette et ses deux filles,
Marthe et Jeanne sont là, silencieuses devant
l'absence. Catherine les fait sortir et ferme la
porte.

Mais voici qu'elles entendent parler dans la

pièce, et cela dure. Au bout d'une heure, Catherine reparaît :
— *Allez voir votre mère, elle veut vous parler.*

Elle reprend le chemin d'Enghien, vers les misères de ses vieillards.

Marie-Antoinette, Marthe (8 ans et demi) et
Jeanne (7 ans) se précipitent. Tonine les accueille,
souriante sur son oreiller. Elle paraît heureuse.
Elle regarde avec affection ses deux petites filles.
Tout son cœur passe dans ses paroles banales :
— *Soyez toujours bien sages !*
— *Est-ce tante Catherine qui l'a ressuscitée ?*
demande une des deux enfants.

Elle n'a pas le temps d'approfondir. Au bout
d'une heure, la malade retombe en léthargie. Elle
s'affaiblit doucement. Le surlendemain, à 4 heures
du matin, elle rend le dernier soupir. C'est le 20

Tonine.

janvier 1874 : 22ᵉ anniversaire de l'apparition de
la Vierge à Marie-Alphonse Ratisbonne, le converti de la Médaille miraculeuse[10].

En cette même année, Catherine fait entrer ses
deux petites-nièces à l'école des Sœurs, 77 rue de
Reuilly :

> Là, nous eûmes la satisfaction de voir notre
> tante Catherine presque tous les jours (racontent-
> elles).
> Nous nous attachâmes à elle davantage, car,
> bien qu'ayant les traits plus fins, elle ressemblait
> à notre grand-mère [Tonine], que nous n'avions

> plus. A l'heure de la récréation des élèves, après le déjeuner de midi, nous la voyions souvent traverser les cours de la maison de Reuilly, pour retourner à celle de la rue de Picpus, nous courions vers elle et nous l'accompagnions jusqu'au bout du jardin[11].

Un jour, elle les emmène en promenade. Pour elles, c'est une fête. Mais Catherine veut aussi faire plaisir à quelqu'un d'autre. Elles se rendent à « la Maison des Frères Hospitaliers de Saint-Jean-de-Dieu », rue Oudinot, où son frère Charles Labouré est

> venu de Bourgogne pour se faire opérer de la maladie de la pierre. Son état assez grave pouvait faire présumer qu'il ne vivrait pas longtemps [...]. Nous ne connaissions pas ce grand-oncle. Elle avait jugé à propos de nous présenter à lui, se souvenait Marthe Duhamel, qui gardait, 30 ans plus tard, un lumineux souvenir de cette aventure insolite et complice avec Catherine (n° 1453a, Marthe Duhamel, mémoire rédigé peu avant 1914, p. 10).

Visite au Supérieur général

Le 12 mars de cette même année 1874, mort de Monsieur Etienne, Supérieur général. Il rend le dernier soupir à 11 heures précises, lucide et sans agonie. Trois jours avant, il avait demandé l'Onction des malades et l'avait reçue en présence de toute la Communauté :

— *Ma mission est finie... Je vais rejoindre la grande famille du ciel. Je demande pardon à tous ceux auxquels j'aurais pu faire de la peine. Oh oui ! j'ai aimé les deux familles de saint Vincent !* (*Vie de Monsieur Etienne,* Paris, 1881, p. 348-350).

Il en avait guidé le merveilleux essor.

Peu après son élection, semble-t-il, il avait enfin su que Catherine était la voyante. Elle a laissé une note autographe sur leur dernier entretien. Elle y

avait renouvelé sa demande pour que la chapelle de la rue du Bac soit ouverte au public. Elle lui avait aussi soumis le désir que Marie soit honorée dans la Congrégation sous le titre de « *Reine de l'univers* ». Il avait répondu de manière évasive mais encourageante :

— *Eh bien ! ma Sœur Catherine, la Sainte Vierge vous a-t-elle dit quand est-ce qu'elle voudrait être honorée sous ce titre. Quand elle vous le dira, nous ferons ce qu'il faut. Priez pour cela. La Sainte Vierge veut quelque chose de vous[12].*

Le 11 septembre 1874, Monsieur Boré devient Supérieur général. Peu après son élection, soucieux d'éclairer sa conduite, il convoque Catherine. Avec les « Supérieurs majeurs », il l'interroge

> sur les révélations dont elle avait été honorée en 1830. Il en résulta, autour d'elle, une sorte de reflet, qui contribua à accentuer sa réputation de sainteté, assure Monsieur Chinchon, son confesseur.

Pourtant, elle parut déconcertée par cet interrogatoire inattendu, et ne parla guère. Elle déçut[13].

Ce sont pour la France de sombres et laborieuses années. Les exécutions des communards se poursuivent jusqu'au 6 juin de l'année 1874. Mais le pays se relève de ses ruines. Catherine va son chemin avec son labeur et ses antennes.

Ci-dessus : J.B. Étienne, supérieur général et E. Bore son successeur

Prédiction ?

A l'automne 1875, l'abbé Olmer sonne à la porte où Catherine « tire le cordon ». C'est une force de la nature, mais aussi de la grâce, et pour le moment, un bâtisseur. Il s'est illustré dans la Commune par son courage, son dévouement, et une évasion sans laquelle la mort l'attendait. Nommé l'an dernier, administrateur de la nouvelle paroisse fondée dans le quartier, il a déjà deux vicaires, et commence à construire l'église. Elle est dédiée à Sainte-Radegonde, mais tout un mouvement se dessine pour que Notre Dame en soit la patronne. C'est le désir de Catherine, qui semble avoir une double vue dès qu'il s'agit de la Vierge Marie. Son salut est aimable et insolite :

— *Bonjour, Monsieur le curé de l'Immaculée Conception !*

— *Mais je ne suis pas curé !*

— *Vous le serez !*

— *Oui, mais la paroisse s'appelle Sainte-Radegonde !*

— *Elle s'appellera l'Immaculée-Conception !*[14].

M. Olmer y fut installé comme curé, deux ans plus tard, le 29 septembre 1877. Et ce fut, dans le diocèse de Paris, la première église dédiée à l'Immaculée Conception.

Catherine regrette toujours que la chapelle de la rue du Bac ne soit pas ouverte aux pèlerinages. Car elle est toujours pressée par cette promesse de Notre-Dame :

— *On sentira mon passage* (n° 942, Sœur Cosnard, CLM 2, p. 266).

La difficulté, c'est toujours « d'ouvrir la chapelle au public, là où se trouvait un noviciat (nombreux) comme le nôtre », explique Sœur Cosnard. Et pourtant, Catherine aurait soupiré, au récit de la guérison d'une sourde-muette à Lourdes :

— Dire que tous ces miracles devraient avoir lieu dans notre chapelle ![15]

Elle regrettait aussi que la Médaille soit négligée, ajoute Sœur Cosnard.

> Elle me dit à moi :
> *— Il y a des Sœurs au Séminaire qui ne portent pas la Médaille, et on ne pense pas à la leur donner.*
> Je lui demandai :
> *— Comment le savez-vous ?*

Et elle me répondit :
— Ah ! informez-vous et vous verrez.
Je dus convenir que c'était vrai[16].
Elle invite à « beaucoup prier », mais à « y joindre l'esprit de pénitence et de sacrifice » :

> On demande trop ce qu'on désire, pas assez ce que veut le bon Dieu, aurait-elle dit à Sœur Tranchemer qui prenait trop facilement ses désirs légitimistes pour ceux de Dieu même[17].

Le Maréchal de Mac-Mahon a été élu Président de la République, le 24 mai 1873[18]. La Maréchale devient amie de la maison. Cette forte femme, généreuse et discrète, vient sans apparat[19]. On lui confie qui est la voyante, et Sœur Dufès trouve un prétexte pour la lui présenter..., sans plus. Catherine a compris, mais ne fuit pas. Quelques jours avant, une pauvre femme était venue lui demander 60 francs (introuvables) pour payer son loyer. Elle va être mise à la rue. Catherine raconte ce drame. La Maréchale a du cœur. Elle donne les 60 francs[20].

Dans le rang

En cette même année 1874, Sœur Dufès décide de remplacer Catherine, comme responsable de l'hospice d'Enghien.
Il lui faut un bras droit, pour resserrer l'unité des deux maisons et vaincre certaines tensions.

C'est Sœur Angélique Tanguy, 36 ans, qu'elle établit à la direction de l'hospice, avec le titre d'assistante. Épreuve sévère pour Catherine car il est toujours difficile de passer en sous-ordre, là où on dirigeait.

Comment va-t-elle réagir ?

On se le demande à l'heure où Sœur Dufès annonce la promotion de Sœur Angélique, décorée de ce titre d'assistante que Catherine n'a jamais eu, tout en exerçant la même fonction. Les Sœurs affectées aux vieillards préfèrent Catherine à la nouvelle responsable, plus inféodée au style nouveau de Reuilly, plus raide et moins expérimentée. Mais Catherine s'empresse de dire à Sœur Dufès :

— *Oh ! Ma Sœur, nous lui obéirons comme à vous-même*[21] !

Ce n'est pas flatterie, ni diplomatie pour amadouer la nouvelle assistante, car Sœur Tanguy n'est pas là (elle l'a précisé elle-même au Procès). C'est avec appréhension qu'elle aborde Catherine dont elle prend la place :

— *J'espère que vous serez bien avec moi, et que vous ne me ferez pas de misère !* lui dit-elle, ce jour-là.

— *Oh non ! ma bonne Sœur, vous n'aurez jamais rien à redouter de moi*[22], répond Catherine.

Le sacrifice est fait en bloc. Il faut maintenant le réaliser en détail, au jour le jour.

Depuis que Sœur Dufès résidait rue de Reuilly, de l'autre côté du jardin (1868), Catherine avait en main les clefs : symbole de son pouvoir sur la maison. Chaque soir, elle fermait les portes de la rue de Picpus et emportait les clefs dans sa chambre :

— *Gardez les clefs !* suggèrent les Sœurs à Catherine.

Les tentatrices ne sauront jamais que Sœur Tanguy, arrivée à pas de loup, a surpris la conversation. Elle ne se montre pas, elle s'esquive, tandis que Catherine répond :

— Si ! je les remettrai dès ce soir à ma Sœur assistante, car c'est elle qui représente la Supérieure.

Le soir, Sœur Tanguy guette les pas de Catherine. Le cliquetis des lourdes serrures qu'elle ferme lui parvient, amplifié sur fond de nuit...

Et voici qu'après le dernier déclic, le pas calme de Sœur Catherine s'approche. Elle dépose le trousseau de clefs, près du lit, dans le grand silence, qui ne sera rompu qu'à la cloche du matin[23].

Le lendemain, au réfectoire, le couvert de Catherine est posé, comme d'habitude à la place d'honneur, près de la Supérieure, Sœur Dufès. La Sœur réfectorière n'a rien changé par respect pour « l'Ancienne ».

Celle-ci n'y prend pas garde... jusqu'au moment où elle aperçoit Sœur Tanguy, à une place plus modeste. Elle ne bouge pas. Mais après le repas, elle va trouver la réfectorière, Sœur de la Haye Saint Hilaire (28 ans) :

— Veuillez changer mon couvert et donner ma place à ma Sœur assistante... Cela me fatigue de passer de ce côté de la table, ajoute-t-elle, pour donner à son propos une motivation sans portée.

> Cela me fut dit avec une telle simplicité que j'aurais pu m'y tromper, raconte l'interlocutrice. Mais la difficulté à vaincre pour gagner la place occupée jusque-là [...] était trop insignifiante pour me laisser aucun doute sur le motif [...] : déférence et humilité[24].

Catherine garde la liberté d'esprit dans les responsabilités qui lui restent. Un jour, elle distribue aux vieillards, avec l'aide de Sœur Cantel, « quelques portions qui se trouvaient en trop ». Elle aime donner largement. L'assistante passe, elle la réprimande. Catherine se tait respectueusement, sa compagne est choquée. Catherine la rassure :

— *Ne vous troublez pas, je suis en règle, j'ai mes permissions.*

Selon Sœur Cantel, cela signifiait l'autorisation de Sœur Dufès elle-même, mais Catherine ne s'en prévalut pas, pour ne pas faire perdre la face à la jeune assistante, encore fragile dans l'exercice de son autorité[25].

Catherine la soutint en toute circonstance :

> *Un jour d'adoration, sachant le bonheur qu'elle aurait eu d'aller à la chapelle,* raconte Sœur Jeanne Maurel, *je lui dis :*
> — *Ma Sœur, c'est à moi de garder la porte et à vous d'aller chez le Bon Dieu.*
> Sœur Catherine répond :
> — *Ma Sœur Angélique l'a dit, cela suffit*[26].

Faut-il appliquer au prix de ces sacrifices la réflexion que Catherine fit un jour à Sœur Tanguy :

> — *J'ai eu de grandes peines, de grandes difficultés. J'ai eu un moment la pensée de demander mon changement de maison. J'ai prié, j'ai consulté mon confesseur et je suis restée*[27].

« Soupe au lait » et patiente

Sœur Jeanne Maurel (31 ans), arrivée en octobre 1875, nous donne un regard neuf sur Catherine qui l'initiait à ses premiers emplois : vestiaire et pigeonnier.

Venue d'une famille qui ne l'avait pas formée aux travaux matériels, elle reconnaît qu'elle était peu « apte » au premier travail, « encore moins » au second. Mais, dit-elle, Catherine « me reprenait avec tant de charité que j'en étais confuse »[28].

Un jour, elle laisse mourir un pigeon. Catherine en est peinée. Mais c'est avec beaucoup d'amitié qu'elle lui fait comprendre son erreur, car elle serait sujette au découragement[29].

Elle redoute beaucoup de soigner les vieillards.
Catherine l'aide à « se surmonter » et lui dit un
jour, sentencieusement :

— *Vous aurez beau faire, c'est vous qui me remplacerez.*

C'est bien ce qui arrive. Au déclin de Catherine, c'est elle qui prendra la relève.

*Sœur Jeanne s'inquiète beaucoup d'un vieillard,
qui n'est pas catholique.*

> — *Vous manquez de confiance, le Bon Dieu peut
> tout.*
> Elle fut exaucée, car, avant de partir, il
> demanda aussi Monsieur l'aumônier (n° 1299,
> PAspec 52, p. 746).

Sœur Maurel éprouvait le bienfait du rayonnement de Catherine :

> J'aimais beaucoup me mettre à sa place à la cha
> pelle, quand elle n'y était pas. Une de nos Sœurs
> m'en a fait des reproches, en disant que j'étais
> bien orgueilleuse de prendre cette place. Je dési
> rais cette place parce que, pour moi, c'était une
> sainte qui priait là, et j'y priais comme si j'avais
> été sur le tombeau d'une sainte (ib., p. 745 ; cf.
> p. 746).

> Un jour, (raconte-t-elle encore), je me suis
> impatientée contre la Sœur qui devait me donner
> le déjeûner des vieillards. Elle était toujours en
> retard, et cela m'empêchait souvent de me rendre
> à la messe dès le commencement. J'en étais
> fâchée. Sœur Catherine me dit :
> — *Il faut tout donner au Bon Dieu et ne pas
> aller vous plaindre.*
> C'est ce qu'elle faisait[30].

Ce qui a le plus frappé Sœur Maurel, c'est la
patience inlassable de Catherine à l'égard de Blaisine, « La Noire », son aide à la porte.

> Gardée uniquement par charité, elle était très
> malhonnête, même pour Sœur Catherine. Plu
> sieurs fois, j'ai voulu aller trouver ma Sœur
> Dufès pour l'instruire de tout et faire mettre cette

fille à la porte. Mais ma Sœur Catherine
m'arrêta toujours :
— *Parce que (disait-elle) cette personne est inca-*
pable de rien faire dans le monde[31].

Catherine subissait alors les taquineries fantas-
ques d'une Sœur moqueuse, qu'on appelait « la
petite imbécile de l'asile ». Pour sonder le secret
de Catherine sur l'apparition de la Médaille, cette
jeune Sœur lance un jour, en pleine récréation,
devant Catherine penchée sur son tricot, à droite
de l'assistante :
— *Celle qui l'a vue n'a vu qu'un tableau !*
Le dernier mot ne faisait que reprendre celui de
Monsieur Aladel dans sa *Notice* (n° 52). Mais elle
le disait sur un ton sceptique et délibérément pro-
vocant. Catherine se redresse, avant toute
réflexion. Le rouge lui est monté au visage.
— *Ma chère, la Sœur qui a vu la Sainte Vierge*
l'a vue en chair et en os, comme vous et moi !
Sœur Tanguy qui préside la récréation, détourne
la conversation. Pour une fois, Catherine surprise
a failli se trahir[32].
Elle se replonge dans son ouvrage, avec une
sorte d'indifférence, et retrouve son silence.
Ordinairement, elle se distinguait surtout par
son humble discrétion :

> Un jour, pendant la récréation, une jeune Sœur
> soutenait le contraire de ce que disait Sœur
> Catherine.

Comme elle défendait son point de vue, la supérieure intervient :

> — *Je vois que vous soutenez avec énergie vos*
> *opinions.*
> Sœur Catherine se mit à genoux au milieu de la
> cour et demanda pardon [...].
> — *Je vois bien que je ne suis qu'une orgueilleuse.*
> De voir cette Sœur âgée s'humilier ainsi, attira
> les larmes aux yeux de ses compagnes[33].

Le souvenir le plus saillant de Sœur Maurel,

c'est ce conseil de Sœur Catherine, dans ses difficultés :
— *Il faut avoir confiance*[34].

2. L'INCOGNITO EN PÉRIL

Le secret de Catherine est percé à jour de toutes parts. Elle a fort à faire...

Du côté du Séminaire

Antoinette de Montesquiou de Fezensac (27 ans), entrée au Séminaire en avril 1873, entend dire à Sœur Mauche, Sœur d'office pour la formation des jeunes Sœurs, que « la voyante » est « supposée être » Sœur Catherine Labouré. Sœur Antoinette brûle de la connaître... Sœur Mauche en trouve l'occasion :
— *Voici la Sœur dont je vous ai parlé...*
Toute heureuse de cette découverte, raconte Sœur Montesquiou,

> je montrai Sœur Catherine à une compagne en disant
> — *C'est celle là !*
> Sœur Catherine le remarqua et me montra un visage sévère. Cela me déconcerta tout à fait, et je n'osais plus la regarder (n° 1285, Sœur de Montesquiou, 7 juillet 1909, PAspec 39, p. 577).

Du côté de l'archevêché

Monseigneur Fages, futur vicaire général de Paris, alors secrétaire particulier du coadjuteur, Monseigneur Richard, vient à Enghien, avec l'abbé Odelin, pour percer le fameux secret. Il s'est arrangé pour venir à l'heure où Catherine elle-même garde la loge. Il commence ses approches. Mais elle le voit venir avec ses souliers à boucles. et, très vite, elle « coupe court, rondement » :

— *Vous voulez votre chemin, Monsieur l'abbé, le voilà !*

Et comme les deux ecclésiastiques insistent :

— *Je vais vous conduire à ma Sœur Supérieure. Elle vous répondra*[35].

Sœur Marie-Louise de la Haye Saint-Hilaire (30 ans), qui accueille la visite de ses amis, le comte et la comtesse d'Avenel de Nantré, croit pouvoir partager avec eux, discrètement, le secret de la maison.

> Au moment où je les reconduisais à la porte, nous rencontrons Sœur Catherine, et je dis à l'oreille de Madame d'Avenel :
>
> — *Voici la Sœur qui a eu la vision de la Médaille miraculeuse.*
>
> Contre toute prévision de ma part, Monsieur d'Avenel se détourna et s'adressant à Sœur Catherine :
>
> — *Oh, ma Sœur, je suis heureux de voir et de saluer la Sœur qui a eu la grande faveur de la vision de la Médaille miraculeuse !*
>
> Ne sachant que faire, je m'adressai à Madame d'Avenel :
>
> — *Madame, si vous saviez ce que fait votre mari ! à quel point il me contrarie ! La Sœur ne veut pas qu'on le sache.*
>
> Avec beaucoup de sang-froid, Madame d'Avenel dit à son mari :
>
> — *Joseph, tu fais erreur, ma Sœur n'a pas dit cela !*
>
> Pendant ce temps, Sœur Catherine branlait la tête et simulait un grand étonnement. Dans le courant de la journée, ma Sœur Supérieure me fit appeler. Sœur Catherine était passée par là. Ma Sœur Supérieure me dit de demander pardon à Sœur [Catherine]. Ce que je fis aussitôt :
>
> — *Ma petite,* me dit Sœur Catherine, bonnement et avec beaucoup de douceur, *il ne faut pas parler comme cela à tort et à travers.*
>
> Et elle ne me tint nullement rigueur de ce petit incident.

Selon Sœur Desmoulins, Sœur de la Haye

Saint-Hilaire confuse, répondit à Catherine :
— *Ma Sœur, on m'avait dit au Séminaire que c'était une Sœur du poulailler d'Enghien qui avait vu la Très Sainte Vierge*[36] !

Lecture d'âme ?

Catherine, qui sait si bien se cacher, a-t-elle le don de lire dans les cœurs ? C'est l'impression qu'elle a donnée à Sœur Darlin, lors d'une de ses visites à sa chère rue du Bac, « vers 1875 ».

> J'étais de surveillance au petit parloir, au Séminaire [...]. Plusieurs Sœurs d'Enghien vinrent voir leur postulante et commencèrent une conversation animée. Une des Sœurs restait un peu isolée, sans prendre part à la conversation. On m'avait dit que c'était la Sœur qui avait eu les apparitions de la Très Sainte Vierge... J'aurais bien voulu parler à la Vénérable, mais je n'osais pas. Au même instant elle quitta son banc, vint me trouver au bureau, et me dit en me regardant avec bonté :
> — *Ma Sœur, venez avec moi à la classe Sainte-Marie, dire un* Ave Maria *à la Très Sainte Vierge.*
> Or cette classe était précisément celle dont j'étais chargée. Je me levai sans répondre, et bien contente, J'étais stupéfaite de ses paroles, car elle ne m'avait jamais vue.

Mais Sœur Darlin commet l'erreur de trop montrer sa ferveur pour la voyante qui l'a comblée. Catherine prend aussitôt congé[37].

3. LA GRANDE CONFIDENCE (PRINTEMPS 1876)

Tension avec Sœur Dufès

Au début de 1876, les notes annuelles de Sœur Dufès sur Catherine attestent laconiquement :

Santé très mauvaise. Elle ne se lève pas (sous-entendu : à 4 heures du matin, l'heure de règle).

Les deux notations suivantes attestent la tension des rapports entre la Supérieure et Catherine : « *Caractère très vif. Jugement passable.* »

Autrement dit, Sœur Dufès n'est pas toujours d'accord avec elle, ce qui fait une ombre, malgré sa docilité. Mais tout finit par un hommage sans restriction : «... *piété solide, remplit très bien son office* »[38]. L'éloge prend tout son poids car les notes de Sœur Dufès sont impitoyables. Si elle « *remplit très bien son office* », c'est en surmontant une lassitude qui s'appesantit davantage de jour en jour.

Elle commence à dire *qu'elle ne passera pas l'année*[39].

Elle se lève maintenant un peu plus tard, mais elle est là, et bien là, chez les vieillards et à la porte : accueillante et discrète, dans ce petit local auquel elle a gardé un dépouillement de cellule monastique.

Le plus étonnant, c'est l'humilité avec laquelle elle supporte la sévérité particulière de Sœur Dufès. Non seulement elle assume les reproches, et maîtrise la vivacité, qui lui fait monter le rouge au visage, mais, lorsque la gronderie serait propre à dresser une barrière, elle vient elle-même reprendre contact, comme si de rien n'était. Elle trouve dans sa tête quelque permission à demander (de celles que la Sœur supérieure ne refuse jamais), elle frappe à son « cabinet » et lui demande...
— *Ma Sœur, seriez-vous assez bonne pour m'accorder telle permission ?* (n° 937, 1291).

Le contact est renoué, la permission accordée. La supérieure est contente de se retrouver bonne : cela calme son inquiétude de conscience sur ce qui la « pousse » à éprouver ainsi Catherine. On s'étonne que la « fierté Labouré » se soit abaissée jusque-là. Bernadette ne sut pas trouver cette ressource avec Mère Marie-Thérèse Vauzou.

Catherine perd son confesseur

En ce printemps 1876, ce n'est pas une « petite permission » que Catherine vient demander, en frappant au « cabinet » de Sœur Dufès :
— *Ma Sœur seriez-vous assez bonne pour me permettre d'aller voir M. Boré ?*

Il s'agit du Supérieur général.
— *Rien que çà !*
Catherine enchaîne calmement :

— *Il nous a retiré notre confesseur, M. Chinchon, et j'ai besoin, en conscience, de m'adresser à lui. Je voudrais lui en demander la permission.*

Oui, vers la fin de l'an dernier, le Supérieur général a déchargé M. Chinchon de toutes ses activités extérieures — y compris Reuilly — pour qu'il s'occupe *exclusivement* de la formation des étudiants et novices. Or, Catherine sent venir sa fin prochaine. Elle connaît bien sa nature, et les chemins de la mort qu'elle a si souvent accompagnée. Elle est soucieuse de régler les derniers devoirs de sa mission, récusés depuis 40 ans, mais qui la « tourmentent » toujours.
M. Chinchon est plus accessible que Monsieur Aladel, mais ne consent pas davantage à des

J. Chinchon, le confesseur. M. Boré, supérieur général.

demandes qui débordent sa compétence. Il lui
arrive même d'être sévère, raconte Sœur Cosnard :

> Entre les années 1864 et 1873 (je ne saurais
> mieux préciser), Monsieur Chinchon [...] a publi-
> quement — dans une réunion de Sœurs — humi-
> lié Sœur Catherine. Il lui a reproché de vouloir
> faire passer ses rêves pour des réalités, et [de]
> ridiculiser toute une communauté.
>
> Sœur Catherine est restée humble, tranquille, à
> sa place, sans rien répondre, ni manifester de
> mécontentement, c'était très saisissant.
> [...]Voulait-il parler des apparitions ? [...] Proba-
> blement, mais il arrangeait les choses de telle
> sorte qu'on pouvait s'y méprendre. Je suis sortie
> de la réunion presque scandalisée de cette
> manière d'agir de Monsieur Chinchon. J'ai pensé,
> après, qu'il voulait éprouver la vertu de Sœur
> Catherine, car jamais il ne parlait ainsi, lui qui
> était si discret (n° 1291, Sœur Cosnard, 10 juillet
> 1909, PA 44, p. 653).

En dépit de cette sévérité, une sorte de dialogue
et de confiance s'était établie à demi-mot entre le
confesseur et la dirigée. Quand il était préoccupé
par quelque affaire, Monsieur Chinchon lui
demandait :

— *Offrez donc une communion pour mes étudiants et novices !*

Elle préparait le terrain, auprès de lui, pour
obtenir ce qui restait en suspens : l'autel et la statue de la Vierge au globe, à établir au lieu de la
première apparition.

Monsieur Chinchon l'écoutait, plus qu'Aladel.
Les Sœurs qui connaissaient son laconisme s'éton-
naient de ses confessions, plutôt longues, qui con-
tribuaient à étirer l'attente des suivantes.

— *Ma Sœur Catherine, vous qui êtes si ronde en
toutes choses, comment vous faut-il tant de temps
pour vos confessions ? Seriez-vous scrupuleuse ?*
taquine l'une d'elles.

— *Ma chère, chacune y est pour son compte, et
voilà tout*[40] !

Ce fossé, soudain creusé entre elle et lui, était une catastrophe.

Refus au sommet

Voilà pourquoi en ce mois de mai, Catherine demande à voir Monsieur Boré, pour obtenir de lui l'autorisation de s'adresser à son confesseur. Sœur Dufès, d'abord peu favorable, finit pas consentir.

Hélas ! L'entrevue est un échec. Pas d'exception. Pas de précédent !

Demain à 10 heures

Catherine revient à Reuilly, les yeux encore pleins de larmes. Sœur Tanguy s'en étonne, car on ne l'avait jamais vue pleurer, même dans ses grandes peines de famille.

— *Et pourtant, j'aurais besoin de m'adresser à ce confesseur !*[41] dit-elle à Sœur Dufès.

Elle ajoute :

— *Désormais, je ne vivrai plus longtemps. Je crois que le moment est venu de parler... Vous savez de quoi ?*

Émue, Sœur Dufès répond :

— *Ma bonne Sœur Catherine, je me doute bien, il est vrai, que vous avez reçu la Médaille Miraculeuse, mais, par discrétion, je ne vous en ai jamais parlé.*

— *Eh bien ! Ma Sœur, demain, je consulterai la sainte Vierge dans mon oraison. Si elle me dit de tout raconter, je le ferai. Sinon, je garderai le silence. Si la Sainte Vierge me permet de parler, je vous enverrai chercher à 10 heures. Vous viendrez à Enghien, dans le parloir, nous serons plus tranquilles.*

Sœur Dufès confie ce coup de théâtre à Sœur Tanguy. Elle ajoute :

— Jugez si je vais être dans l'anxiété jusqu'à demain matin[42] *!*

Le lendemain, Catherine lui fait signe. Elle accourt. « L'entretien commença à 10 heures et ne se termina qu'à midi. » Ce qui émerveille Sœur Dufès, c'est de voir Catherine, si peu bavarde, s'exprimer « avec précision et facilité ».

Elle raconte les premières apparitions : le cœur de Monsieur Vincent, le Christ dans l'Eucharistie, et la Vierge au fauteuil, le 18 juillet 1830 : ces dernières totalement inconnues. Elles étaient restées dans le secret des confidences et de l'autographe de 1856, ignorés de tous.

Sœur Dufès, dont la dureté à l'égard de Catherine était un réflexe de défense,

> se sent plusieurs fois portée à se jeter à ses genoux, pour lui demander pardon de l'avoir si peu connue. [Elle retient ce geste excessif,] mais ne peut s'empêcher de murmurer :
> *— Vous avez été bien favorisée.*
> *— Oh ! répond Catherine, je n'ai été qu'un instrument. Ce n'est pas pour moi que la Sainte Vierge est apparue. Si elle m'a choisie, ne sachant rien, c'est afin qu'on ne puisse pas douter d'elle*[43].

Ici comme souvent, Catherine est un écho intérieur de Monsieur Vincent, qui disait :

> J'ai été choisi parce que je n'étais rien, nul ne pourra douter que de si grandes choses ne soient l'ouvrage de Dieu.

La Vierge au globe

Catherine en vient au point difficile qui la tourmente « depuis si longtemps » : la Sainte Vierge tenait un globe dans les mains. Nulle image ne la représente ainsi. Monsieur Aladel a toujours refusé.

Sœur Dufès est perplexe ? Quelle nouveauté est-

ce là ? Et comment concilier cette image avec celle
de la Médaille : la Vierge aux mains ouvertes ?
Vraiment Catherine passe les bornes :

— *On dira que vous êtes folle !*

— *Oh ! ce ne serait pas la première fois ! Monsieur Aladel m'a bien traitée de « méchante guêpe », quand j'insistais là-dessus !*

Sœur Dufès comprend le sens : c'est un geste de
mère et de Reine de l'Univers. Notre Dame protège et offre à Dieu ce globe de la terre, et pourtant, elle est déroutée :

— *Mais qu'est devenue cette boule ?* demande-t-elle, inquiète de ne point ajuster ces deux images.

— *Je ne vis plus que les rayons qui tombaient de ses mains,* répond évasivement Catherine.

Sœur Dufès est de plus en plus perplexe :

— *Mais que deviendra la Médaille, si on publie cela ?*

— *Oh ! il ne faut pas toucher à la Médaille miraculeuse !*

Sœur Dufès insiste :

— *Mais si Monsieur Aladel a refusé, il avait ses raisons ?*

— *C'est le martyre de ma vie,* confie Catherine,
qui ne peut se résigner à cette omission.

— *Mais connaîtriez-vous quelqu'un qui pourrait confirmer votre récit ?*

— *Il y a Ma Sœur Grand. En ce temps là, elle était au Secrétariat. Elle est maintenant Supérieure à Riom. Elle a travaillé avec Monsieur Aladel.*

En cette même après-midi, Sœur Dufès, bouleversée par la confidence, la confie à Sœur Tanguy. Elle est séduite, mais perplexe devant ce différend, sur l'apparition même, donc sur la
Médaille. Catherine n'en remet-elle pas, sur ses
vieux jours ?

La Supérieure se remémore quelques petits faits
qui ont entretenu sa perplexité, son agressivité vis-à-vis de la voyante. Au temps de Monsieur
Etienne, au lendemain de la Commune, Catherine
n'a-t-elle pas eu l'idée qu'on trouverait à

« 1 m 50 » de profondeur : « une pierre plate comme une pierre tombale », a noté sans comprendre Sœur Dufès (n° 699, CLM 2, p. 120), et « de quoi faire bâtir une chapelle » ou plutôt « une église ». Elle a pensé à un trésor, et l'étonnant accomplissement des prédictions de Catherine pendant la Commune lui ayant valu un certain crédit, elle a prévenu Monsieur Etienne. Ils ont décidé de creuser. Où ? Ici, Catherine était plus embarrassée. Les fouilles ont été vaines. Elles ont recommencé sous Monsieur Boré. On n'a rien trouvé, sinon un puits bouché, qui aurait obligé à descendre à plus de 18 mètres sous terre.

— *Ma Sœur, vous êtes dans l'erreur !* a dit carrément Sœur Dufès.

Et Catherine n'a pas discuté. Elle a répondu humblement :

— *Eh bien ! ma Sœur, je me suis trompée, je croyais avoir dit vrai. Je suis bien aise qu'on connaisse la vérité !* (n° 645, CLM 2, p. 48).

Mais que de souci et peine perdue à creuser en vain[44] !

Catherine se trompait-t-elle, cette fois encore ?
Pour le vérifier, Sœur Dufès écrit à Sœur Grand.
La réponse se fait attendre. Elle ne partira que le
24 juin. Elle confirme l'étonnante version de
Catherine :

> Oui ma bonne Sœur Dufès, notre douce *Reine* a
> apparu, tenant la boule du monde dans ses mains
> virginales et bénies, la réchauffant de son amour,
> la tenant sur son cœur miséricordieux, et la
> regardant avec ineffable tendresse. J'ai même
> encore un essai de dessin, projeté il y a long-
> temps, la représentant ainsi (n° 460).

Sœur Grand ajoute un plaidoyer chaleureux,
mais brumeux, pour l'harmonie entre les deux
visions *avec* et *sans* globe[45].

La voyante et le sculpteur

Sur cette confirmation, Sœur Dufès emmène
Catherine Rue du Bac, après un « déjeuner anti-
cipé ». Et, « pendant le dîner » de la communauté, elle la conduit dans la chapelle. Là, elle se
fait indiquer le lieu exact où établir la statue et
l'autel : c'est du côté droit, en regardant l'autel,
là où se trouve le tableau de saint Joseph. Sœur
Dufès soumet la requête aux Supérieurs. Il n'en
est pas question. Cela ferait deux statues de la
Vierge, et soulèverait des difficultés en haut lieu.
Mais rien n'empêche que le modèle soit réalisé
pour la maison de Reuilly, à titre privé.

Sœur Dufès y pourvoit. Seul, Chevalier a noté
(dès 1878), d'après Sœur Dufès, quelques traits
concrets de la description :

> Ni trop jeune, ni trop souriante, mais d'une gra-
> vité mêlée de tristesse, qui disparaissaient durant
> la vision, lorsque le visage s'illuminait des clartés
> [...] de l'amour, surtout à l'instant de sa prière
> (n° 674, CLM 2, p. 111).

Vierge au globe, à Reuilly, 1876 et rue du Bac, 1880.

Sœur Dufès commande la statue chez Froc-Robert et envoie Catherine à l'atelier pour examiner la maquette. Son assurance et ses critiques alertent le sculpteur :

— *N'est-ce pas la Sœur des apparitions ?* (n° 1251, PAspec 7, p. 180).

Cela suffit à raccourcir le dialogue... Catherine s'éclipse avec l'air ahuri qu'elle prend en ces cas-là. Cette intervention de la paysanne auprès de l'artiste fait bien rire celle qui l'accompagne.

— *Mais de quoi se mêle-t-elle ? A-t-elle perdu la tête ?*

Catherine ne peut cacher sa déception. Non, ce n'est pas cela. Sœur Dufès lui fait faire le tour des magasins de Saint-Sulpice, pour tenter de découvrir le modèle introuvable. Sans succès.

Quelques semaines plus tard, la statue est livrée à Reuilly. Sœur Dufès ne va pas la mettre à la chapelle, mais, discrètement, dans son cabinet de travail. C'est là que Catherine est invitée à se rendre. Elle regarde attentivement. Plusieurs détails de sa description ont été scrupuleusement exécutés : le globe d'or surmonté d'une croix, « le serpent verdâtre », sous les pieds de l'Apparition, mais elle ne saurait manifester de l'enthousiasme. Elle fait plutôt « la grimace ». Un rien déçue, Sœur Dufès la sermonne :

— *Il ne faut pas être trop difficile. Les artistes de la terre ne peuvent pas réaliser ce qu'ils n'ont pas vu* [46] *!*

La fin du martyre

La confidence et la réalisation de la statue sont pour Catherine un grand soulagement et lui apportent une grande paix. Les blessures se cicatrisent. Ce signe inespéré lui donne l'espérance que le modèle prendra un jour place dans la chapelle.

Quelle importance ?

Comptable envers Notre Dame, de ce qui avait été omis, Catherine se sent maintenant déchargée, prête au départ qu'elle sent proche. A l'heure où son corps l'abandonne, la sérénité des profondeurs remonte en surface. Sa vieillesse devient un bel automne. Mais la paysanne sait bien que ces dernières joies annoncent l'hiver et la mort. Il ne lui en coûte pas de la voir approcher. Elle s'abandonne à la rencontre inconnue, comme à un voyage vers celui qu'on aime.

La suite ne la regarde pas. Le ciel et les Supérieurs y veilleront.

Quelle importance avait la réalisation complémentaire de cette Vierge au globe ? Il est difficile de le mesurer. Cette statue n'a pas exercé une influence un tant soi peu comparable à celle de la Médaille miraculeuse, qui venait à son heure, pour éveiller, dans l'Église un nouveau printemps de charismes et de conversions. Si Monsieur Aladel n'avait point de scrupule du détail, il avait bien respecté l'essentiel : l'invocation, la représentation la plus classique de l'Immaculée Conception, et le rayonnement des mains, symbole nouveau de la lumière de Dieu, à travers Celle qui a engendré le Verbe.

Mais il était légitime que Catherine souhaitât voir représenté cet élément complémentaire — qui relève aussi d'une tradition.

Nous touchons ici la relativité des visions. L'Église a toujours insisté là-dessus, en soulignant le contraste entre ces révélations privées et la Révélation évangélique. Elles ne sont qu'un charisme particulier, destiné à réveiller l'espérance.

« C'est la dernière fois »

C'est sans anxiété, qu'à chaque fête liturgique, Catherine redit ce qui devient un refrain :

— *C'est la dernière fois que je célèbre cette fête* (ci-dessus, note 39).

Elle radote, pense-t-on, car elle ne décline pas sensiblement. Mais elle persévère dans son idée. Elle y revient, le 15 août, fête de l'Assomption, en recevant Marie-Antoinette Duhamel, avec les deux petites nièces.

> Elle donne des images en souvenir de la première communion à l'aînée (raconte Marie-Antoinette). Je lui fis observer que rien ne pressait, puisqu'elle ne devait faire sa première communion que l'année suivante. Elle me répondit :
> — *Oh ! ma chère enfant, l'année prochaine, je n'y serai plus.*
> — *Mais c'est trop tôt,* renchérit Marthe, *je ne ferai ma première communion qu'au mois de mai !*
> — *Je sais, mais je ne serai plus là. J'aime mieux te donner tout de suite.*

Elle lui offre une image représentant une première communiante et quelques souvenirs.

Marie-Antoinette Duhamel insiste :
— *Mais vous vous portez aussi bien que d'habitude !*
— *Vous ne voulez pas me croire !* dit plaisamment Catherine sans abandonner sa conviction. *Vous verrez*[47] *!*

Le 8 septembre, visite de Philippe Meugniot. Il ne sait pas que c'est la dernière. Sœur Dufès lui dévoile le secret de Catherine. Il l'ignorait. Il n'ose lui en parler, il s'étonne de la trouver toujours aussi discrète.

Le cœur et l'étouffement la gênent. Mais elle s'assied dans son lit. Il est frappé de son calme, de sa « tranquillité », « prête à paraître devant Dieu ». Elle évoque gaiement son repos forcé (qui lui coûte) :
— *Me voici comme une reine*[48]...

Bernadette usera de la même comparaison, dans une lettre de 1876 à Mère Sophie Cresseil.

Vers la fin du mois, elle est encore alitée.

Sœur Henriot vient la voir et la soigne, en l'absence de l'infirmière habituelle :

— *Priez pour moi,* demande-t-elle.

— *Pensez à moi, et je prierai pour vous,* répond Catherine.

En mars suivant, Sœur Henriot se souviendra de cette promesse. Elle veillera au tombeau de Catherine, en priant pour une Sœur très malade. La Sœur guérira[49].

4. UN RADIEUX AUTOMNE

Déclin

En octobre, Catherine se lève. Le déclin est lent : « affaiblissement, langueur, vieillesse, usure, épuisement », disent les témoins[50].

— *Elle n'a plus sa tête,* disent celles qui la voient baisser[51].

— *On en a dit d'autres de Notre-Seigneur*[52], confie Catherine, qui garde bonnes oreilles et bons yeux bleus, derrière ses lunettes à monture de fer.

Son cœur faiblit, sa respiration étouffe. On lui met des sangsues sur les reins, pour la soulager[53]. Sa patience augmente avec ses douleurs de jambes.

Sœur Combes s'étonne de la voir là « tout le temps, comme si elle ne souffrait pas ». Lorsque la souffrance devient apparente, et qu'on la plaint, elle dit :

— *Le Bon Dieu mérite bien qu'on souffre pour lui*[54] !

Dernières activités

Elle a cessé de cirer les parquets avec la lourde « galère »[55]. On l'a déchargée des emplois réguliers. Mais, quand elle peut se lever, elle garde la loge[56]. Elle fait de petites lessives d'appoint. Elle passe en revue le vestiaire des vieillards, et veille à l'alimentation, dont elle connaît si bien les problèmes depuis 46 ans[57]. Que chacun ait tout ce qu'il lui faut !

Elle met les jeunes au courant des tâches qu'elle abandonne. « Dans les derniers mois de 1876 », Sœur Cabanes, affectée à la cuisine, la voit venir « tous les jours, avant chaque repas, s'assurer que tout est convenable », elle la met au courant « des petits détails » avec beaucoup de « bonté »[58].

— *Voici comme je faisais,* dit Catherine, *et comme faisait votre devancière. Si vous rencontrez quelques peines,* ajoute-t-elle, *ne vous effrayez pas, j'en ai rencontré d'autres !*

Le 30 octobre 1876, elle prend la plume pour fixer la confidence que lui avait faite Notre Dame, assise dans son mystérieux fauteuil, rue du Bac : « *Mon enfant, le Bon Dieu veut vous charger d'une mission* »[59].

Dans les mêmes jours, elle dit à Sœur Millon :

> — *Je mourrai avant l'année prochaine, et on n'aura pas besoin de corbillard pour me porter au cimetière !*
> — *Vous plaisantez ?* Ma Sœur Catherine.
> — *Vous verrez, ma chère !* (n° 1257, PAspec p. 237, voir note 39).

Retraite de novembre

Le 5 novembre 1876, Catherine est encore assez forte pour aller faire sa retraite à la Maison-Mère. On l'y emmène en voiture. Dans un décor doré de feuilles d'automne, elle se montre vaillante. Elle suit tous les exercices. Elle reste à genoux comme les plus jeunes Sœurs, malgré son arthrite, pourtant douloureuse et ses genoux enflés. Elle refuse même un coussin qu'on lui offre pour la soulager.

Là aussi, son radotage étonne :

— *C'est ma dernière retraite,* dit-elle à Sœur Pineau (n° 892 ; cf. n° 1278, 1660, Misermont, *Vie,* 1931, p. 227 ; éd. 1933, p. 229).

On ne l'en croit guère. Coquetterie de vieille, qui cherche à se faire plaindre... Pourtant, elle dit cela sans façon.

A l'arrivée, elle visite sa sœur aînée, Marie-Louise. Elle n'aime pas trop la voir au lit, bien qu'octogénaire :

— *Tu t'écoutes trop. Je crois que si tu voulais, tu pourrais te lever !*

Ce n'est pas qu'elle manque de compassion pour les infirmités. Quelques temps auparavant, en allant visiter un frère malade à l'hôpital Lariboisière, elle s'était empressée de descendre de voiture la première pour aider sa sœur âgée. Mais, dans sa hâte, elle s'était foulé le poignet : ce qui ne l'avait pas empêchée de faire la visite de bon cœur, avec sa main emmitouflée. Mais, Catherine qui connaît maintenant la vieillesse, sait ce qui lui en coûte, chaque matin, de lever ses vieux os... quand même. Ce n'est plus comme à Fain, dans sa jeunesse (n° 961).

Cette fois-ci, elle parle surtout à Sœur Cosnard, son ancienne compagne de Reuilly de 1864 à 1873, qui a maintenant un poste au Séminaire. Il y a une vraie compréhension entre elle et Sœur Catherine, qui espère faire passer par elle le message de Notre Dame, encore trop méconnu...

Sœur Cosnard est de celles qui « savent ». Intérieure et discrète, quoique ardente, elle sait partager en profondeur. Elle parvient ainsi à faire parler Catherine sur les apparitions. à demi-mot, sans qu'elle se dévoile. Elle peut confier ainsi le message qui lui tient à cœur :

— Lorsqu'Elle a apparu à une de nos sœurs [...], la Très Sainte Vierge tenait dans ses mains la boule du monde. Elle l'offrait [...]. Aucune gravure des apparitions ne la représente ainsi. Pourtant elle le veut, et elle veut un autel à l'endroit où elle apparut.

Tout cela, à propos du Séminaire et à propos de la formation des Sœurs. Catherine regrette que certaines d'entre elles ne portent même pas la Médaille, et que la chapelle de la rue du Bac ne soit toujours pas ouverte aux pèlerinages...

Le dernier jour (14 novembre), Catherine demande à Sœur Cosnard :
— *Conduisez-moi au Séminaire.*

A cette heure de récréation, où il n'y a personne, elle veut revoir, une dernière fois, les deux tableaux des apparitions, peints par Lecerf, en 1835 : les premiers et les plus soigneusement exécutés pour commémorer le message chez les Filles de la Charité. Catherine s'agenouille et prie. Puis elle se relève (non sans effort), et contemple longuement ces peintures qu'Aladel lui avait montrées, il y a 31 ans. Elle s'attarde. La cloche sonne la fin de la récréation. Les jeunes Sœurs rentrent au Séminaire. Elles guettent la visiteuse aux yeux bleus. L'une d'elles devine :
— *Oh ! C'est la Sœur qui a vu la Sainte Vierge !*
Catherine revient à elle :
— *C'est bien ! ma Sœur, c'est bien !* dit-elle, sèchement.

Serait-ce un coup monté pour la « montrer » ? Sœur Cosnard aurait-elle livré son secret ? Elle part brusquement, et rentre à Reuilly sans aller lui dire au revoir. Sœur Cosnard est malheureuse. Catherine la croit-elle fautive ? Est-elle fâchée ? Quelle triste fin de ces belles rencontres[60] !

« Nos perles à nous ! »

Malgré cet incident, le séjour à la rue du Bac a réussi à Catherine. Elle a repris ses travaux vaillamment. Le 24 novembre, veille de la fête de Sainte Catherine, Sœur Tranchemer, qui tourne toujours autour d'elle, lui amène des enfants pour lui souhaiter sa fête. Catherine est agenouillée devant la fontaine de la cour. Elle lave, toute seule, les chaises des vieillards : entendez les chaises percées, utilisées pour les besoins nocturnes, en un temps où il n'y avait pas de toilettes à l'étage. Ce n'est pas appétissant. Les enfants se bouchent le nez. Elle sourit de leur déconvenue :

— *C'est ça, mes enfants, les Filles de la Charité, ce sont nos perles à nous !*

Elle se lave les mains et enlève son tablier, toute proprette :

— *Maintenant, venez que je vous embrasse !*

C'était chose rare, car, nous raconte ailleurs Sœur Tranchemer, Catherine « n'embrassait pas habituellement les enfants, elle se baissait et leur donnait une légère caresse ». Mais un jour de fête, en bonne tradition paysanne, on s'embrasse.

— *Soyez bien sages, bien obéissantEs, et la Sainte Vierge vous aimera bien. Je la prierai pour vous,* dit-elle, avant de reprendre son travail[61].

Le 30 novembre, décès d'Auguste, le « petit frère » infirme de Catherine qu'elle avait soigné pendant sa jeunesse. Toute sa vie, il était resté handicapé, à charge aux uns ou aux autres. Le 1er septembre 1867, un de ses frères l'avait placé à la Chartreuse de Dijon, l'asile départemental, route de Plombières. Une pneumonie l'avait emporté, après 9 ans d'internement. Catherine ne l'avait pas revu depuis longtemps. Le benjamin de la famille avait 67 ans[62].

Dernière fête de l'Immaculée

Le 8 décembre, Sœur Dufès lui ménage la joie d'aller à la Maison-Mère, pour la fête de l'Immaculée Conception. C'est faire coup double, car

Sœur Cosnard se morfond après l'adieu brusqué
de la retraite...

> Elle était un peu fâchée contre moi, dans la per-
> suasion où elle était que j'avais moi-même provo-
> qué l'exclamation des novices (raconte-t-elle).
> Nous nous embrassâmes, en signe de réconcilia-
> tion, sans nous expliquer autrement (n° 939).

Le secret de Catherine est de plus en plus
éventé. Mais on évite de la provoquer. La ferveur
autour d'elle tient ses distances.

Est-ce faute qu'on l'aide à monter dans la voiture ? En quittant la Maison-Mère, elle tombe et
se démet le poignet. Elle ne dit mot. Personne ne
s'en aperçoit. Tant bien que mal, elle enveloppe
son bras meurtri dans son mouchoir :

— *Que vous arrive-t-il, ma Sœur Catherine ?*
demande Sœur Dufès.

Elle montre son poignet emmailloté, qu'elle tient
de l'autre main, et répond gaiement :

— *Ah ! ma Sœur, je tiens mon bouquet. Tous les
ans, la Sainte Vierge m'en envoie de cette façon !*

Catherine prend comme cadeau heurs et malheurs.

La confidence n'en choque pas moins Sœur
Charvier. Elle s'exclame :

— *Elle vous arrange bien, la Sainte Vierge ! C'est
bien la peine que vous vous dérangiez pour aller
la prier à la Maison-Mère !*

Catherine répond « avec beaucoup de calme » :

— *Quand la Sainte Vierge envoie une souffrance,
c'est une grâce qu'elle nous fait* (n° 976, CLM 2,
p. 307)[63].

Oui, tout est grâce pour Catherine !

5. QUAND VIENT L'HIVER

Pour Catherine le déclin s'accentue. Le poignet
refuse ses activités. Elle est souvent alitée, mais se
lève dès qu'elle le peut[65] : plus fatiguée que

pitoyable. Courageuse sans défaillance. Son usure n'a besoin que de petits soins.

« *Ce que vous voudrez* »

Elle n'est pas difficile pour la nourriture. Elle mange de moins en moins. Le matin, elle ne peut rien prendre. Le soir, quand on lui demande ce qu'elle veut, elle répond :
— *Ce que vous voudrez.*
Et si l'on insiste, elle conclut invariablement :
— *Des œufs brouillés.*

Adoucissements ?

Un jour, cependant, le refrain change, elle se sent faible, elle n'a pas mangé ces jours-ci, et le souci de retrouver ses forces, lui donne l'idée de demander :
— *Une pomme cuite !*
Elle qui semble ordinairement indifférente, elle attend visiblement cette pomme qui tarde. A-t-elle faim ? Oui, une soudaine faim de mourante, sursaut d'un organisme épuisé.
— *Comment une Sœur qu'on dit avoir vu la Sainte Vierge, se laisse-t-elle aller à désirer de telles douceurs !* s'exclame Sœur Tanguy.
Elle dit cela devant Monsieur Chinchon, l'ancien confesseur, qui l'étonne en prenant la défense de Catherine :
— *Oh !* dit-il, *je pourrais vous citer un saint canonisé* (le nom a été oublié par le témoin) *qui demanda des fraises sur son lit de mort* (n° 979, Sœur Cantel, CLM 2, p. 310).
Comme tous ceux qui faiblissent, Catherine éprouve parfois le besoin de nourritures plus réconfortantes. En ces derniers temps, où elle ne pouvait rien supporter le matin, elle s'est maintenue en prenant le soir « du bouillon, du lait, de la tisane ou même du raisin sec »[66].

Elle ne se doute pas que ces menus détails seront bientôt épluchés, de manière soupçonneuse au procès de canonisation. L'avocat du diable, étonné de ces penchants de nature chez une candidate à la sainteté, se demandera si la gourmandise n'a pas été le démon de ses vieux jours. C'était le point de vue de Monsieur Hamard, Lazariste, dont l'esprit critique et facétieux s'amusait à déboulonner des ferveurs qui lui semblaient excessives :

— *Sœur Catherine était une bonne fille,* disait-il aux Sœurs de Reuilly, *mais elle se laissait aller, pendant qu'elle était malade, à un peu de sensualité !*

Sœur Lenormand se croira obligée de rapporter ces paroles, en conscience, puisqu'elle a juré de tout dire, sous la foi du serment. Il lui faudra de longues dissertations pour dissiper ces critiques en trompe-d'œil. Ce travail aboutira à situer la modestie des désirs de Catherine. Ils seront trouvés conformes aux règles de Monsieur Vincent, et comparables aux penchants, parfois plus raffinés, de certains saints dans leur dernière maladie. Vingt ans plus tard, durant l'été 1896, Thérèse de Lisieux, exprimera, sur son lit de mort, des envies de nourritures plus coûteuses : rôti ou éclair au chocolat (René LAURENTIN, *Thérèse de Lisieux,* Paris, 1973, p. 125).

La sainteté n'exclut pas d'innocents désirs naturels, ni la simplicité du cœur.

Une infirmière négligente

Si Catherine a dû parfois grignoter, c'est que sa garde-malade négligente, Sœur Maria, oubliait son dîner quand la « doyenne » malade ne pouvait descendre. Catherine ne se serait pas plainte pour un empire. Alors elle trouvait ce qu'elle pouvait. De là, ses repas frugaux et hors série, qui ont été pris pour du superflu.

L'assistante, Sœur Tanguy, l'a reconnu elle-
même, aussi bien que Sœur Olalde :

> Catherine ne se plaignait pas et supportait tout.
> [...] M'étant aperçue de la chose, je voulus savoir
> ce que la Vénérable en pensait. Elle me répondit,
> avec calme et simplicité :
> — *Ma Sœur [Maria] n'est pas travailleuse*[67].

Laissée à l'abandon, sans plainte, Catherine
n'en recueillera que des reproches assez vifs, y
compris de Sœur Tanguy. Sœur Cabanes raconte :

> J'ai vu moi-même la Sœur assistante de la com-
> munauté faire à Sœur Catherine des reproches
> assez vifs sur ce qu'elle aurait omis de prendre
> des médicaments que la Sœur de la pharmacie lui
> avait apportés, lorsqu'elle était malade et alitée.
> [...] Elle ne s'excusa pas et [...] garda le silence
> [...]. Lorsque la Sœur assistante fut partie, ma
> Sœur Catherine se tourna de mon côté et me dit
> avec beaucoup de douceur :
> — *Je ne l'ai pas vue de la journée, et voyez
> comme elle me traite en arrivant !* [...]
> Elle avait pris ses médicaments[68] !

Un jour, Sœur Tranchemer la découvre sans
feu, en plein décembre :
— *Vous devez avoir bien froid, ma Sœur Cathe-
rine. Je vais rallumer...*
— *Non, laissez donc, ce n'est rien*[69] !
Tout est grâce, pour Catherine, en ces longues
nuits sans électricité.
Vers la mi-décembre, dit Sœur Maurel,

> elle ne pouvait rien prendre, tant son estomac
> était détraqué [...].
> C'est à peine si nous pouvions lui faire prendre
> un peu de bouillon, vers 9 heures du matin[70].

Le 18 décembre, Sœur Cessac, postulante par-
tant au Séminaire, vient lui faire ses adieux.

> Elle était très calme et me dit :
> — *Je m'en vais au ciel*[71].

J'irai à Reuilly

Vers le 20 décembre, Sœur Maria Thomas (l'infirmière négligente, selon Sœur Pineau : n° 892) la trouve toujours bienveillante :

— *Oh que ma supérieure est bonne !* s'exclame Catherine.

Sœur Maria s'étonne de lui entendre dire, après son refrain bien connu sur sa mort, « avant l'année prochaine » :

— *On n'aura pas besoin de corbillard*[72].

Sœur Maria s'exclame :

— *Mais comment fera-t-on avec un si grand corps ?*

Elle réplique :

— *Eh bien, ce sera comme ça. J'irai demeurer avec vous, à Reuilly.*

Elle ajoute :

— *Il n'y aura pas besoin de rubans*[73].

Elle veut parler de ce qu'on appelait alors les « cordons du poêle » : ces rubans que des amis tenaient cérémonieusement aux quatre coins de la voiture mortuaire.

Sœur Thomas s'empresse de rapporter ces étranges propos à Sœur Dufès :

— *Gardez çà pour vous,* répond-elle ! *(n° 645, CLM 2, p .50).*

La Maréchale et autres visiteuses

Catherine est souvent alitée. Cela draine un petit courant de visites : ceux qui *savent*, notamment la Maréchale de Mac-Mahon. Catherine lui remet des chapelets et des Médailles[75]. Mais Léonie Labouré, venue visiter sa tante quelques semaines avant sa mort, n'a pas la permission de monter au dortoir. Catherine n'est plus en état de descendre[76].

Parmi les visiteuses quotidiennes, outre Sœur Tranchemer[77], il y a Sœur Charvier, qui atteste :

J'allais la visiter tous les jours, et parfois même, plusieurs fois par jour. On lui apportait la sainte communion de temps en temps [...]. Je lui demandai un jour pourquoi elle ne sollicitait pas cette faveur plus fréquemment. Elle me répondit :
— *Quand on m'apporte le bon Dieu, je suis contente, mais j'aime mieux faire comme tout le monde. Je ne veux pas me faire remarquer*[78].

Il y a aussi Sœur Cabanes :

Je la voyais tous les jours, depuis qu'elle s'est alitée. Je lui disais :
— *Ma bonne Sœur, vous êtes bien seule !*
Elle me répondait :
— *Allez votre chemin, je ne suis pas bien à plaindre. J'ai tout ce qu'il me faut*[79].

Enfin, le confesseur

Parvenue au-delà des impatiences, Catherine a cependant exprimé un désir : revoir Monsieur Chinchon, le confesseur qui lui a été refusé, l'an dernier, après un quart de siècle où tant de choses s'étaient amorcées. C'est une requête sereine. Maintenant qu'elle s'est confiée, Catherine se sent au-delà des blessures. C'est un dernier échange, une rencontre, un adieu[80].

Le 29 décembre, Sœur Tranchemer lui fait une dernière visite, tandis que Sœur Dufès est à son chevet. Elle est éblouie de la sérénité du visage[81].

Onction des malades

Dans les derniers jours de décembre, Catherine demande l'Onction des malades. Cela paraît prématuré. Comme elle semble faiblir, on propose d'aller chercher un prêtre voisin, chez les Pères de Picpus.
— *Je peux attendre le Lazariste qui confesse...*

Paradoxe ! ce Lazariste, c'est M. Hamard. Catherine reçoit les derniers sacrements par le ministère de celui qui sera le plus dangereux avocat du diable, au seuil du Procès de canonisation, non par hostilité, mais par goût du paradoxe...

Plusieurs compagnes sont là :
— *Je vous demande pardon de toutes mes fautes à votre égard,* leur dit Catherine, selon l'usage.

Elle reçoit en pleine lucidité l'onction sur chacun des 5 sens, à commencer par les yeux bleus :
— *Que le Seigneur vous remette les péchés commis par le regard.*
Les formules ont quelque chose de paradoxal, devant cette transparence[82].
Catherine renouvelle ses vœux avec un élan calme.

Dernière confidence

Le 30 décembre, visite de Sœur Cosnard. D'autres Sœurs sont là. Après la réconciliation du 8 décembre, la visiteuse souhaiterait un entretien plus intime. Mais comment faire ? Elle s'approche du lit et murmure :
— *Ma Sœur Catherine, allez-vous me quitter sans un mot sur la Sainte Vierge[83] ?*

Catherine la fait approcher, tout près, note Sœur Pineau. Elle s'incline. Elle lui parle à l'oreille. Les autres n'entendent pas.
Oui, Catherine a quelque chose à dire à Sœur Cosnard, parce qu'elle est Sœur « d'office », chargée de la formation au séminaire. Elle garde d'immenses désirs, des regrets aussi, pour les deux familles de Monsieur Vincent.
— *Faites bien prier ; que le Bon Dieu inspire aux Supérieures d'honorer Marie Immaculée. C'est le trésor de la Communauté. Qu'on dise bien le chapelet. Les vocations seront nombreuses... si on en profite.*

Elle aurait ajouté, devant la récession des années 1860-70 :

— *Elles diminueront si on n'est pas fidèle à la règle, à l'Immaculée Conception, au chapelet... Nous ne sommes plus assez les servantes des pauvres !*

Elle se souvient des jeunes Sœurs qu'elle a aidées à vaincre des répugnances, tout récemment, Sœur Maurel, sa remplaçante :

— *Il faudrait que les postulantes aillent dans les hôpitaux : pour apprendre à SE SURMONTER.*

Elle s'interrompt, craignant de dépasser sa mission :

— *Ce n'est pas à moi de parler. C'est M. Chevalier (le directeur des Filles de la Charité) qui a mission pour cela !*

Se souvient-elle de la Sœur qui la traitait de niaise, et cherchait des œuvres plus relevées ? Elle ajoute :

> — On a trop *élevé* les jeunes Sœurs, au lieu de les tenir toujours dans l'humilité. Qu'elles écoutent les Sœurs anciennes. Qu'elles apprennent l'esprit de Monsieur Vincent...
>
> La Sainte Vierge a promis des grâces chaque fois qu'on priera dans la chapelle : surtout la pureté d'esprit, de cœur, de volonté... Le pur amour.

Prières des agonisants

Aujourd'hui on récite, autour du lit de Catherine, qui faiblit, la prière des agonisants. C'est elle qui l'a demandée :

— *N'avez-vous pas peur de mourir ?* demande Sœur Dufès.

Les yeux bleus de Catherine semblent s'étonner comme un firmament sans nuage :

— *Pourquoi craindre d'aller voir Notre Seigneur, sa Mère et Saint Vincent ?*

Catherine à la veille de sa mort (1876).

Ce n'est qu'une mauvaise photo d'une vieille femme méfiante devant l'objectif. Et pourtant, Mme Courtin, morpho-psychologiste, y a lu l'histoire bouleversante et profonde de Catherine et confirmé ainsi les conclusions historiques les plus délicates (grande édition, ch. 9, p. 334-340).

Au bord de la mort, le visage garde son équilibre, sa maîtrise, son ascendant. Le nez atteste la vitalité ; la rétraction latéro-nasale, le modelé d'une sensibilité réactive profonde. Le pli descendant de la bouche se retrouve chez des femmes âgées qui ont beaucoup souffert et bien assumé leur souffrance.

Le regard est extraordinaire : l'œil gauche traduit la volonté efficiente et la lucidité ; l'œil droit, la détresse maîtrisée, ce que Catherine appelait son martyre. Ce visage atteste une rare apti-tude à tout surmonter en mobilisant les ressources profondes.

8. *Mort de Catherine 31 décembre 1876*

1. LUCIDE ET PACIFIÉE

31 décembre 1876 : L'année s'achève et Catherine n'est pas morte. Elle ne semble pas près de mourir. Sœur Dufès plaisante cette entêtée. Catherine lui déclare tranquillement :
— *Je ne verrai pas demain.*
Sœur Dufès conteste :
— *Mais demain c'est le premier de l'an ! Ce n'est pas le moment de nous quitter !*
Catherine répète imperturbablement :
— *Non ! Je ne verrai pas demain*[1].

Visite du biographe

L'après-midi, M. Chevalier, sous-directeur des Filles de la Charité, vient la bénir[2]. Elle l'a vu plusieurs fois, cette année[3], car il achève une nouvelle édition — revue et refondue — du livre sur la Médaille, dont Aladel avait publié la huitième édition en 1842. Il s'était préoccupé de la Vierge au globe :
— *N'en avez-vous pas rêvé ?*
— *Si, j'ai bien vu ce globe !*
— *Pourquoi M. Aladel l'a-t-il supprimé*[4] *?*
Catherine n'a pas de réponse. Il la cherchera longtemps. Il comptait publier cette année. Mais Catherine lui disait gaîment :
— *Je serai morte quand cette notice paraîtra*[5] *!*

— *Elle est prête !* répliquait-il à sa précédente visite. *Je vous attraperai bien !*
— *En 1842, je disais aussi à M. Aladel que nous ne verrions pas sa prochaine édition, ni lui, ni moi.*

Catherine est toujours préoccupée de la rue du Bac : Fontaine méconnue, fontaine scellée :
— *Les pèlerinages que les Sœurs font ailleurs ne favorisent pas leur piété,* dit-elle. *La Sainte Vierge n'a pas dit qu'il fallait aller prier si loin. C'est dans la chapelle de la communauté qu'Elle veut que les Sœurs l'invoquent. C'est là LEUR pèlerinage*[6].
Le futur historien la bénit avant de partir. Elle semble heureuse

2. PREMIÈRES ALERTES

Vers 3 heures, voici une bonne visite : Marie-Antoinette Duhamel, la fille de Tonine, avec ses deux petites filles : Marthe et Jeanne, ainsi qu'une autre nièce[7]. Plus chanceuses que Léonie Labouré, refoulée à la mi-décembre, elles ont le privilège de monter « au dortoir » de Catherine. Sa respiration est difficile, « la sueur perle sur son front », mais son cœur se réveille pour accueillir. Elle s'assied, « jambes pendantes », du haut de son lit de fer, sa cornette mal ajustée par la garde-malade négligente. Elle a préparé les étrennes des enfants. Elle envoie une Sœur les chercher dans le placard : des bonbons, du chocolat... et une poignée de Médailles pour la maman. La visite ne doit pas être trop longue, pour ne pas la fatiguer :
— *Je reviendrai demain, vous souhaiter la bonne année,* dit Marie-Antoinette en se levant.
— *Si tu reviens, tu me verras, mais moi je ne te verrai pas, parce que je serai partie,* répond sentencieusement Catherine.
Elle semble s'assoupir. Son regard bleu se fait vague.

A peine Marie-Antoinette et les nièces sont-elles au bout du jardin qu'elle s'affaisse sur son oreiller. Elle préparait ses cadeaux pour les Sœurs : des petits paquets de Médailles. Elles lui tombent des mains et s'éparpillent sur son lit. La garde-malade alerte Sœur Dufès. La communauté accourt au dortoir et se met en prière. Mais Catherine rouvre les yeux. Fausse alerte[8] !

— *Ma bonne Sœur Catherine !* taquine Sœur Dufès, *vous ne savez donc pas que c'est le 31 décembre ! Est-ce un jour pour nous faire de telles frayeurs ?*

— *Mais, ma Sœur, je ne voulais pas qu'on vous dérange. Ce n'est pas encore fini*[9].

On décide pourtant de lui porter le viatique. Les Sœurs descendent pour escorter le Saint Sacrement. C'est alors qu'arrive Sœur d'Aragon, la compagne de Sœur Dufès pendant l'exode de la Commune[10]. Elle profite de la solitude pour s'approcher du lit.

— *Sœur Catherine, priez pour moi... pour mes nouvelles tâches !*

Elle vient d'être nommée Sœur Servante (c'est-à-dire Supérieure), aux Blancs-Manteaux. Catherine promet. Elle ajoute :

— *J'ai vu M. Chevalier, je suis heureuse !*

Elle reçoit le viatique.

Une Sœur lui demande :

— *Vous ferez mes commissions pour le ciel !* Catherine répond avec son réalisme :

— *Je ne sais pas comment cela se passe là-haut !*

Dans la vie comme dans la mort, il ne faut jamais promettre ce que l'on ne peut tenir ! Voit-elle le ciel comme une cour majestueuse ? se demande Sœur Dufès :

— *Voyons, Sœur Catherine ! Au ciel, il n'y a pas à faire de phrases ! Vous confiez vos intentions au Bon Dieu, rien qu'en le regardant !*

— *Oh ! alors, je le prierai !* répond Catherine, qui se reconnaît dans cette perspective[11].

Sœur Dufès est appelée au parloir.
— *Ce sont des jeunes qui viennent vous souhaiter la bonne année.*
Elle hésite. Mais Catherine lui dit :
— *Vous avez bien le temps. Vous pouvez y aller. Je vous ferai prévenir*[12].

Vers 5 heures, Sœur Dufès envoie Sœur Clavel à son chevet.
— *Je ne crois pas qu'elle soit si près de sa fin. Mais si vous la voyez baisser, venez me prévenir*[13].

Vers 5 heures et demie, Sœur Combes rejoint Sœur Clavel[14].
A 6 heures, elle a soudain l'impression que Catherine s'en va[15].
Elle descend chercher Sœur Dufès, mais en voyant sa Supérieure, Catherine se mobilise une fois encore et reprend calmement son antienne :
— *Je mourrai ce jour-même.*

3. LE DÉPART

Sœur Dufès est descendue dîner. Une Sœur arrive avec des Médailles. Catherine avait repris la préparation de petits paquets, pour la communauté, pour Sœur Cosnard. Elle n'en avait pas assez. Elle en avait demandé.
— *Ma Sœur Catherine, voici vos Médailles !*
Elle ne répond, ni ne donne signe de vie. Sœur Tranchemer lui en met dans les mains. Elles tombent sur le drap[16].
Il est 6 heures 30. Cette fois, elle s'en va.
Sœur Dufès abandonne son repas, elle monte en hâte[17].

On sonne la cloche[18]. Ce n'est pas l'usage pour l'agonie, mais c'est Catherine.

La communauté accourt. Ce n'est pas l'usage, mais c'est Catherine[19] !

Elle avait prévu la liturgie de sa mort : 63 enfants pour dire chacune des invocations des litanies[20]. Sœur Dufès avait tiqué sur ce programme insolite :

— *Il n'y a pas 63 invocations dans les litanies de la Sainte Vierge !*

— *Si dans l'Office de l'Immaculée-Conception... Dans notre livre de prières !*

On va voir aux *Litanies de l'Immaculée,* dans le *Formulaire de prières à l'usage des Filles de la Charité.* Elles ne comportent que 37 invocations ! Mais Catherine n'a pas dit les *litanies* elle a dit *l'office.* Et, de fait, le petit office publié dans le même formulaire contient bien 63 titres litaniques, de *Reine du monde* (Domina mundi) à *Salut des pauvres malades* (p. 475-483). Ils y sont enchaînés par séries, sans alternance de *priez pour nous,* ce qui ne se prête pas à la récitation par des enfants!

Les ferventes de Catherine ne sont pas à cela près. Elles préparent les 63 invocations sur autant de petits cartons. Catherine a bien compté pour les litanies comme pour sa comptabilité de fermière !

A-t-elle songé au symbolisme intentionnel de ces 63 invocations. On ne sait. Mais l'auteur de *l'Office* les a évidemment comptées en fonction de la tradition qui attribue 63 années à Notre Dame : 15 *avant* et 15 *après* les 33 années du Christ.

Les petits cartons sont donc là. Mais, à la veille du 1er janvier, plus d'enfants ! Les orphelines sont dispersées dans leurs familles d'accueil à l'occasion du nouvel an[21]. On n'en trouvera que 2 ou 3, qui ne sont point en état de faire cette récitation. Du moins Catherine ne mourra-t-elle pas loin des

Lit de mort de Catherine.

enfants. Elle a vu cet après-midi, ses trois nièces ; et elles garderont comme des reliques les bonbons qu'elle leur avait donnés[22]. Trois gamines, restées là, viennent volontiers à cette dernière cérémonie.

Les Sœurs récitent la litanie[23]. Catherine avait demandé qu'on insiste sur l'invocation *Terreur des démons,* la 18e (p. 476). On la répète par 3 fois.

Elle semble s'associer à cette prière, mais on n'entend pas le son de sa voix[24].

— *Vous voulez donc nous quitter* lui dit doucement et tendrement Sœur Dufès.

Elle ne répond pas : « silencieuse à l'heure de sa mort comme elle l'avait été pendant sa vie[25] ».

Les Sœurs enchaînent les prières des agonisants —, répètent l'invocation de la Médaille : *O Marie conçue sans péché*[28].

Doucement, Catherine s'assoupit, elle s'endort, sans agonie[29]. Sœur Cantel s'étonne de ne voir paraître « sur sa figure aucun des signes qu'on remarque sur le visage des personnes qui meurent ». Elle n'a « jamais vu cela[30] ».

Catherine assume doucement et doublement sa mort, en campagnarde, accoutumée à épouser les rythmes de la vie, en chrétienne, heureuse d'aller rejoindre, selon une de ses dernières paroles, « Notre Seigneur, sa Mère et saint Vincent[31] ».

Un sourire... deux grosses larmes[32].

C'est fini. On lui ferme les yeux. Il est 7 heures.

Cette mort, Catherine l'avait entrevue, 33 ans auparavant, durant la retraite de mai 1843, à la seule lumière des pauvres et de la Sainte Vierge. Elle écrivait :

> *Marie* a aimé les *pauvres,* et une Fille de la Charité, qui aime les pauvres [...] n'aura point de crainte de la mort. On n'a jamais entendu dire qu'une Fille de la Charité, qui a bien aimé les pauvres, ait eu des craintes effrayantes de la mort. Au contraire [...], on l'a vue faire la mort la plus douce (N° 524, Notes de la Retraite d'Aladel, *Cahier des Autographes,* p. 76-78).

C'est bien cela qu'on l'a vue vivre et mourir, au soir du 31 décembre 1876.

4. LA LUMIÈRE

— *Oui, c'était bien elle qui a vu la Sainte Vierge !*

La conspiration du silence a perdu sa raison d'être, avec la vie terrestre de celle qui avait si vaillamment défendu son secret.

Vous aurez la grâce

Au réfectoire, ce soir même, Sœur Dufès, déclare :

— *Puisque Sœur Catherine est morte, il n'y a plus rien à cacher. Je vais vous lire ce qu'elle a écrit[33].*

Elle va chercher dans son secrétaire, le récit autographe de la première apparition de la Vierge, que Catherine avait écrit pour elle, le 30 octobre, après la confidence.

C'est la lecture spirituelle, ce soir, pour la communauté.

Veillée

On se dispute le bonheur de préparer, puis de veiller le corps, cette nuit[34]. Même celles qui craignent le tête-à-tête avec un cadavre, le font avec joie et empressement. Catherine est exposée, dans

« la chambre des morts », que l'architecte a établie dans cet hospice, à côté de la chapelle, à gauche de l'entrée. Dans ses mains, un chapelet avec la Médaille. Au-dessus de sa tête une statue de Notre Dame. Sur elle, un lys et des églantines, venus on ne sait d'où en cette saison.

— *Qu'elle est belle dans la mort,* s'étonne Sœur Madeleine.

Elle ne la trouvait « pas belle », de son vivant.

Photographies[35]

On veut garder ce visage qu'on ne verra plus. Un photographe est convoqué, dès le lendemain matin 1er janvier.

Première photo du 1er janvier avec le bonnet du séminaire (des apparitions).

— *Il faut la prendre avec son costume du temps
des apparitions !* suggère une Sœur.

On lui met la coiffe du séminaire, qui rajeunit
étrangement son masque de vieillard. Puis on lui
remet la cornette ailée, pour une seconde photo-
graphie.

La rumeur et l'affluence

Dès ce matin du 1 janvier, la rumeur suscite un
défilé. Cela vient du quartier, de la Maison-Mère,
de Saint-Lazare et d'ailleurs.

— *La foule semble sortir de dessous terre,*

s'étonne Marie-Antoinette Duhamel. Il faut canaliser ce flot, protéger celle qui a rendu les armes.

Deux Sœurs s'installent, l'une à la tête et
l'autre aux pieds de Catherine. Elle s'interposent,
elles prennent les objets qu'on veut faire toucher à
son corps : des chapelets, des Médailles. La conta-
gion gagne les Messieurs. Comme ils n'ont rien
d'autre, ils présentent leurs montres aux deux
Sœurs, et les reprennent avec ferveur[36].

Les petites Duhamel sont là. Elles aident à faire
le va-et-vient entre l'affluence et ce corps, temple
de Dieu. Catherine attire « comme une sainte »,
dit la petite Marthe.

Seconde photo du 1ᵉʳ janvier avec la cornette des Filles de la Charité.

> Quand meurt une de nos Sœurs, la tristesse nous
> envahit, c'est tout naturel, témoigne Sœur Angéli-
> que. Or, à la mort de Sœur Catherine, aucune ne
> pleura, et nous ne nous sentions pas tristes
> (n° 1254, Sœur Tanguy, PAspec 10, p. 208).

Catherine qui était gaie, avait dû faire émerger
sa joie de bien des tourments. Elle n'a point
voulu laisser de tristesse[37].

Elle a l'apparence d'une personne endormie. Ses
membres restent souples.

— *Est-elle bien morte ?* va jusqu'à dire Marie-
Antoinette Duhamel[38].

Rue du Bac

Abandonner Catherine au cimetière devient
insupportable à la communauté.

Mais la conserver paraît impossible (ib.).

Dès ce matin, Sœur Clavel et Sœur Charvier,
sont parties pour la Maison-Mère, annoncer le
décès... Étrange premier de l'an !

Léonie Labouré, venue voir Marie-Louise pour
lui offrir ses vœux, apprend la nouvelle :

— *C'est une sainte !* dit la sœur aînée, sachant ce
qu'elle lui doit. Je vais la prier pour qu'elle
m'appelle cette année près du Bon Dieu. A mon
âge, je ne suis qu'une charge pour la communauté.

Elle mourra cette année même, le 25 juillet, à
82 ans[39].

Les deux Sœurs vont au Secrétariat. Elles lan-
cent — follement et timidement — l'idée d'une
sépulture à Reuilly. Surprise ! Sœur de Geoffre est
séduite. Elle se chargera d'obtenir elle-même la
permission des Supérieurs.

En rentrant, les deux Sœurs n'osent faire part
de leur initiative (indiscrète ?) à Sœur Dufès. C'est
donc une surprise pour elle, l'après-midi, lorsque
deux Supérieures de la Maison-Mère, venues à

Enghien, pour prier près du corps de la défunte, lui annoncent :
— *Eh bien oui ! nous vous autorisons à faire les démarches nécessaires pour garder le corps de Sœur Catherine.*

Sœur Dufès se tourne vers les deux émissaires de ce matin :
— *Eh bien, puisque vous avez fait le péché, vous ferez la pénitence ! Je vous charge de faire, vous-mêmes, les démarches nécessaires.*

Elles ont des ailes pour aller trouver le commissaire de police :
— *Ce que vous demandez-là est fort difficile et dépasse mes attributions,* leur dit-il... *Mais je crois que vous avez des amis à l'Elysée*[40].

Sitôt dit, sitôt compris. Le lendemain matin, 2 janvier, voici les deux Sœurs au Palais présidentiel. La maréchale de Mac-Mahon télégraphie au Préfet de police pour obtenir l'autorisation. Elle vient en personne l'apporter, le soir même. Elle prie auprès du corps de la servante de Dieu[41].

C'est une autorisation « temporaire », mais avec la garantie d'une prochaine transformation en autorisation définitive, lorsque le lieu et la modalité de la sépulture auront été déterminés.

C'est là le problème :
— *Où la mettre ?*

Le caveau est sous la chapelle

On en est là, au soir du 1 janvier, raconte Sœur Dufès, dépassée par la difficulté.
— *Prions !* dis-je à nos sœurs.

> Elles passèrent la nuit à supplier Marie Immaculée de ne pas permettre que notre compagne nous fût enlevée. Pendant toute cette nuit, je cherchais en vain un endroit convenable pour la déposer [...].

Soudain, au son de la cloche de 4 heures du matin, je crus entendre résonner à mes oreilles ces mots :
LE CAVEAU EST SOUS LA CHAPELLE DE REUILLY (n° 645, Sœur Dufès, CLM 2, p. 53).

Ces mots ont surgi d'eux-mêmes. Cette excavation inutile, au milieu de la maison, l'architecte avait voulu la combler. Mais la supérieure précédente : Mère Mazin avait refusé, on ne sait pourquoi. Cette cave semble s'offrir pour la sépulture.

La maréchale a tenu à payer elle-même un triple cercueil : sapin (à l'intérieur), plomb, et chêne (à l'extérieur) : protection nécessaire contre la putréfaction et les risques visés par les règlements d'hygiène, depuis les épidémies[42]. Ce cercueil hermétique permet d'attendre l'autorisation définitive et l'aménagement qui viendront seulement dans 3 mois. On convoque en hâte des ouvriers, ils cimentent le sol de cette caverne et préparent une ouverture suffisante pour la descente du cercueil.

Ni corbillard ni rubans

C'est le mercredi 3 janvier, en la fête de sainte Geneviève — chère à M. Vincent — qu'ont lieu les funérailles.

Le caveau de Reuilly.

La cérémonie commence à 10 heures. C'est M. Chinchon qui chante la messe dans la Chapelle d'Enghien, trop petite, débordante. Catherine avait dit aux Sœurs :

— *Il nous reviendra.*

Il retrouvera, l'an prochain, ses fonctions de confesseur à Reuilly (n° 898, CLM 2, p. 224).

Les pauvres ont offert une gerbe. Les vieillards, une autre. Ils tiennent à être en tête du cortège pour accompagner à sa dernière demeure, celle qui les a si bien soignés. Oui, « nulle Sœur n'était aimée autant qu'elle » ! Mais ce don, cette présence, paraissaient si naturels qu'ils s'en aperçoivent seulement maintenant.

Après eux, « la bannière des jeunes gens ouvre le cortège ». Ils sont suivis des Enfants de Marie, également bannière en tête. Viennent ensuite les « externes » qui ont « laissé leur travail » pour être là, et les orphelines voilées de blanc[43]. Enfin, le corps, porté à bras[44]. Ainsi se réalisait la prédiction de Catherine :

— *On n'aura pas besoin de corbillard. J'irai à Reuilly !*

Sœur Maria Thomas, la garde-malade négligente comprend soudain cette phrase, qui l'avait déconcertée. Elle se souvient que Catherine avait dit aussi :

— *Il n'y aura pas besoin de rubans*

> C'est ce qui correspond chez nous aux cordons du poêle tenus par les personnes qui accompagnent les défunts, explique Sœur Cosnard.

Quelle idée folle monte dans la tête de Sœur Maria ?

— *A défaut de rubans,* dit-elle,

> j'allais saisir un des 4 coins du drap mortuaire avec la secrète pensée de *faire mentir Sœur Catherine,* lorsqu'un des porteurs me dit
> — *Retirez-vous, ma Sœur, vous nous gênez !*

Elle s'efface.

Trois autres (dont Sœur Cosnard) auxquelles elle avait fait signe avec son autorité de sacristine, pour tenir les autres coins, rentrent dans le rang. En dépit « de la solennité » du moment, Sœur Maria, éberluée, murmure, assez haut pour que Sœur Cosnard l'entende :

— *Sœur Catherine, vous êtes toujours la même*[45] ! Sa tentative est manquée. La prédiction, accomplie.

> Nous marchions, ma sœur et moi, immédiatement derrière le cercueil, raconte Marthe Duhamel, la nièce de Catherine, et nous ne pleurions pas, malgré notre regret de l'avoir perdue, car nous ne la voyions que comme une bienheureuse, dont on ne peut regretter le bonheur[46].

Procession

Suivent les Filles de la Charité, au nombre de 250, et le clergé, avec nombre de Lazaristes ; enfin, une immense foule populaire, venue de tout le quartier.

De jeunes ouvriers du faubourg Saint-Antoine sont venus, la Médaille à la boutonnière, suspendue à un ruban bleu[47], et la Maréchale de Mac-Mahon, discrète amie de la maison[48]. Près du cercueil, on porte la magnifique couronne qu'elle a offerte avec ces mots écrits par elle : *Hommage respectueux à ma Sœur Catherine*[49].

D'Enghien à Reuilly, le cortège traverse, par l'allée principale, le jardin que Catherine a fait à son image pendant 46 ans. Les arbres fruitiers qu'elle a plantés, les massifs qu'elle a façonnés, en adaptant son expérience bourguignonne à la terre d'Ile-de-France, restent un prolongement vivant de son corps de paysanne, ils porteront, longtemps encore, les fruits qu'elle a préparés. Le vol des pigeons qui planait sur son enfance, plane maintenant sur sa mort.

Le cortège va lentement. Cela tient au nombre, à l'étroitesse de l'allée, mais aussi à la ferveur[50].

MALADIE ET MORT DE CATHERINE

Apparemment solide, Catherine souffrit d'arthrite, et fut hospitalisée pour cela, dès juin 1844 (ci-dessus ch. 5).

Il n'y a qu'une forme d'arthrite fréquente dans la jeunesse : le rhumatisme articulaire aigu. Selon Bouillaud qui l'a identifié, il y a un siècle, il se caractérise par des arthralgies mobiles, il blesse les articulations et « mord le cœur ».

Le côté médical.

Le rhumatisme, observé pendant sa jeunesse, semble avoir déterminé une lésion cardiaque, longtemps compensée, méconnue : ce qui, à l'époque, n'étonne pas. Catherine surmonta, sans se plaindre, les conséquences de cette atteinte. Son dur labeur accentua la défaillance du muscle cardiaque, ce qui peut expliquer le gonflement des membres inférieurs, l'œdème, les troubles respiratoires des dernières années : d'origine cardiaque, selon les témoins. Ainsi la mort de Catherine fut-elle cette usure, cette extinction qu'ils décrivent.

La nuit et l'aurore.

Comment a-t-elle assumé cette mort étonnamment paisible ? On hésite devant une réalité aussi personnelle. Pourtant, mourir a ses lois. Le Docteur Élisabeth Kubler-Ross (U.S.A.) a dénoncé les faux-drames et travertissements de la mort dans une société piégée. Elle a identifié les phases normales d'une mort bien assumée. Elle distingue :
1. Le choc   2. Le refus   3. La colère
4. La dépression   5. Les marchandages : « Si je guéris... »
Et après cela, chez certains :
6. L'acceptation
7. La décatheixis (10ᵉ stade, selon la médecine héllénique) qui comporte une ouverture sereine vers autre chose.

Catherine a brûlé les étapes anxieuses, conflictuelles et négatives de toute mort : on ne trouve pas trace chez elle des cinq premières. D'emblée, elle est entrée dans les phases finales de paix et de lumière.

A-t-elle inventé la mort sans douleur dont rêvent ces médecins ? Oui, si la mort sans douleur est, comme l'accouchement sans douleur, un art difficile d'assumer un passage ardu et la violence de rudes agressions intérieures. Oui, surtout, si c'est l'élan de l'amour vers la Rencontre qu'elle a exprimé de manière limpide jusqu'au jour de sa mort : Rejoindre Notre Seigneur, la Sainte Vierge et Saint Vincent.

Les invocations et les chants jaillissent comme en fête[51]. Pas de chants mortuaires, mais le *Benedictus,* le *Magnificat,* les litanies de la Sainte Vierge, et surtout, l'invocation inscrite sur la Médaille :

— *Ô Marie conçue sans péché...*

On la chante avec une ferveur croissante. En arrivant à Reuilly, les premiers rangs s'écartent et se massent, pour laisser passage au cercueil. Le chant est relancé avec une nouvelle ferveur, au moment où les 4 porteurs descendent le cercueil par l'étroite ouverture, maçonnée hier, sur le sol frais cimenté du caveau[52].

Des gens sont grimpés sur les toits des maisons voisines[53]. Non, ce n'est pas un convoi funèbre, c'est une procession joyeuse que la foule a improvisée.

Quelques larmes pourtant : les vieillards, qui savent ce qu'ils perdent ; et puis, sa nièce, Léonie Labouré : On s'en étonne, on la console.

— Mais vous ne devez pas pleurer ! C'est une Sainte, elle a vu la Sainte Vierge[54] !

Pèlerinage à Reuilly

Les jours suivants, l'affluence continue au caveau où le cercueil est posé sur deux tréteaux[55] : la Maréchale de Mac-Mahon, la comtesse d'Eu, fille de l'ex-empereur du Brésil, l'épouse du sénateur Buffet, mais surtout le petit peuple du quartier[56]. Dans les premiers jours, une pauvre femme amène, dans une caisse montée sur roulettes, un enfant de 12 ans, « venu au monde avec les jambes nouées », disait-elle. Eplorée, elle tient à le descendre dans le caveau. Ce n'est guère commode. Il n'y a qu'une échelle de meunier assez raide. Une Sœur calme l'enfant inquiet avec des friandises. La famille le descend en s'aidant de cordes. Et voici qu'il se relève, de lui-même. Ses jambes sont devenues fermes. C'est sans doute le

premier miracle de Catherine pour les pauvres.
Mais le bénéficiaire a disparu, avant les enquêtes,
comme beaucoup de pauvres et d'anonymes[57].
Dans l'affluence, beaucoup d'enfants[58].

C'est seulement au bout de 3 mois, avril 1877,
après l'inspection critique d'un architecte et d'un
commissaire de police, que l'autorisation définitive
de sépulture est obtenue. Étrange coïncidence :
Catherine avait dit, avant sa mort : En creusant le
sol de Reuilly « *à 1,50 mètre* », on « verra une
pierre tombale [...] et là on trouvera de quoi faire
bâtir [...] une église ». Sœur Dufès avait compris
qu'il s'agissait d'un trésor caché. En liaison avec
deux Supérieurs généraux successifs elle avait fait
creuser en vain. Catherine s'était donc bien trompée ! Elle en avait convenu. Et voici que le commissaire de police prescrit de l'ensevelir « *à
1,50 m* » précisément[59]. On aménage le caveau en
conséquence[60], avec *pierre tombale*[61]. Vers 1896,
un prêtre espagnol, Don Dadorda, venu en France
pour Catherine, obtient à grand peine la permission d'aménager le caveau en chapelle. Il y dépense
3 000 francs-or. On y installe un autel, offert par
Madame Gil Moreno de Mora[62].

Pareilles fêtes, pareils pèlerinages au tombeau ne
devançaient-ils pas le jugement de l'Église ? On
s'en inquiéta plus tard, au Procès de canonisation.
Mais l'impossible devient maintenant possible.
Catherine avait éprouvé comme « un martyre » les
refus auxquels s'étaient heurtées, durant plus de
40 ans, les requêtes de la Vierge dont elle était
l'impuissante messagère. Elle appréhendait 1870
comme année sombre, mais entrevoyait, pour
1880, une espérance comblée. Elle l'avait écrit sur
un de ses autographes, l'année de sa mort : « 10
ans après, la paix ! » (n° 639, CLM 2, p. 357).

Ce qui lui avait été refusé jusqu'ici est accordé
cette année-là : l'autel commémoratif et la statue
de la Vierge au globe sont instaurés dans la chapelle des apparitions par M. Fiat. Cette chapelle
s'ouvre enfin aux pèlerinages, le cinquantenaire y

est célébré. Les 2 communions demandées par
Catherine pour le jour anniversaire des apparitions
du cœur de Monsieur Vincent et de la Médaille
sont accordées[63]. Catherine avait dit et écrit :

— *Demandez à Rome et l'on accordera davantage*[64].

Cette espérance, entrevue en 1880, sembla vite
démentie par un accroc. En 1881, la *Congrégation
des Rites* ordonne alors d'enlever la Vierge au
globe, installée depuis moins d'un an. Mais, 4 ans
plus tard, Léon XIII la fait rétablir. En 1894, M.
Fiat, échaudé par cet incident, avait introduit une
requête timide pour célébrer « des messes voti-
ves », sans même parler de la Médaille ; il se voit
octroyer par la *Congrégation des Rites,* l'Office de
la Médaille avec des leçons qui racontait l'apparition et la vie de Catherine. La *fête liturgique de
la manifestation de la Médaille miraculeuse* est
ainsi célébrée le 27 novembre 1894. Et cela ne suffit pas au Cardinal Aloisi Masella qui a dépassé la
demande. Il se dit « scandalisé de la modestie »
excessive des Lazaristes :

— *Je les ai blâmés à haute voix,* écrit-il[65].

L'année suivante, il prend à parti la Supérieure
générale des Filles de la Charité venue à Rome :

— *Quand allez-vous introduire la cause de canonisation ?*

A sa réponse plutôt fuyante, il répond avec
énergie :

— *Mais comment ! C'est une religieuse d'une émi-
nente sainteté ! Si vous ne le faites pas, je le
ferai, moi*[66] *!*

Les objections suscitées par ce pèlerinage de
Reuilly, qui pouvait paraître anticiper le culte,
sont balayées. De même celles que constituait la
vie trop *ordinaire* de Catherine. Le scandale de
cette voyante banale, que la gloire humaine n'a
point effleurée du bout de sa grande aile sauvage,
oblige à remonter à la source même de l'Évangile.
C'est à cette source que ramène la sainteté décon-

certante de Catherine. Elle oblige à remettre en honneur l'Évangile même. C'est ce que fait la première biographe, Sœur de Geoffre, pour tenter de réduire une opposition considérable.

> Les contemporains de Notre Seigneur ne se scandalisaient-ils pas de ce que ses parents étaient pauvres, de ce qu'il sortait de Nazareth, de ce qu'il mangeait et buvait comme tout le monde, de ce qu'il conversait avec les pécheurs ?

Les critiques sont submergées. Ce qui émerge, c'est la sainteté des pauvres, fréquente et méconnue. C'est le point de départ du Christ : *Bienheureux les pauvres !* (Matt. 5, 1).

Le 27 juillet 1947, Pie XII déclare Catherine sainte, à la face de l'Église universelle, dans la Basilique Saint-Pierre de Rome.

Elle devinait déjà le jugement de Dieu, 70 ans auparavant, Sœur Dufès, qui avait mis tant de temps à comprendre Catherine, lorsqu'elle écrivait, le 4 janvier 1877, le lendemain de l'enterrement, à Philippe Meugniot, qui avait manqué ce moment de lumière :

> Je la regardais comme la bénédiction de la maison, et maintenant j'aime la considérer au Ciel comme une protectrice [...]
>
> Heureuse d'avoir pu conserver ses restes précieux, nous aimerons [...] nous rappeler [...] les grâces inestimables qu'elle avait reçues... Nous y apprendrons encore comment meurent les saints, avec quels sentiments de confiance et de joie on voit arriver ce dernier moment, quand on a su vivre pour Dieu et pour Dieu seul[69].

Conclusion

COMMENT PEUT-ON VOIR LE CHRIST ICI-BAS...

Cette vie simple, transparente, parle par elle-même. Elle défie le commentaire[1]. Faut-il conclure ?

Ce qu'il y a d'admirable chez Catherine, dira-t-on, ce sont les apparitions, avec leur prestige et leurs fruits ? N'est-ce pas, davantage encore, le service des pauvres : « nos maîtres », disait Catherine après Monsieur Vincent ? C'est là qu'elle apprit à rencontrer Jésus-Christ en profondeur et c'est peut-être la conclusion la plus indispensable de ce livre.

Le secret de sainte Catherine, ce n'est pas tellement d'avoir caché son identité de voyante, c'est plutôt l'admirable articulation qu'elle a su établir entre l'éclat des apparitions et l'humilité de son service : les vieillards de l'hospice, les pauvres du quartier, pour lesquels elle eut une prédilection, et tous les affligés, endeuillés, marginaux, caractériels (la Noire, son ancienne compagne de noviciat). Elle fut pour eux un havre. Elle eut pour eux une prédilection.

Elle sut aller à leur rencontre dans la pauvreté même. Elle a raccommodé au même degré leurs vêtements et les siens propres : des rapiéçages soigneux, qui allaient de pair avec une impeccable propreté, disent les témoins. Elle a généreusement donné son travail, ses veilles, son affection, tout ce qu'elle avait, ne laissant presque rien à sa mort, si

Voyante et servante.
Toute sa vie chargée des plus lourds travaux.

bien qu'on fut embarrasé de « donner des souvenirs » autres que ses lunettes et ses vêtements... Elle n'avait pas de complexe. Elle osait parler de Dieu à ceux qu'elle secourait. Donner Dieu et donner le pain, donner Notre Seigneur et donner sa propre affection à ceux qui souffraient, cela allait ensemble, cela venait d'un même cœur. Comment ne pas donner ce qu'elle ressentait comme le meilleur ?

En elle, à l'aube du XIXe siècle, l'Esprit Saint commençait à former, pour des temps nouveaux, un nouveau type de sainteté, retrouvé aux sources mêmes de l'Évangile : une sainteté sans succès ni triomphes humains. La gloire n'a pas « effleuré Catherine du plus petit bout de sa grande aile sauvage ». On l'a traitée de sotte et de niaise. Il n'y avait rien d'autre en elle qu'un amour présent et efficace. Toute à Dieu seul, et pour cela toute aux hommes. C'est l'alliance de ce double amour en un seul amour, des visions et du service qui est le secret de Catherine.

La prière a jailli en elle, de bonne source, dès l'enfance, dans une église au tabernacle vide. Ainsi se creusa une faim profonde, ainsi s'allumèrent les désirs mêmes de Dieu. Elle découvrit aussi le jeûne comme une force et une lucidité. Elle apprit de Dieu seul à visiter les pauvres malades, chez qui Monsieur Vincent vint la rejoindre en songe.

Elle a vécu ces dons de lumière dans l'épreuve. Quoique vaillante, elle souffrit très jeune, d'une arthrite (rhumatisme articulaire) qui la fit hospitaliser à 35 ans et causa sa mort par défaillance du cœur. Sa mission, reçue de Notre-Dame, rencontra une opposition constante qu'elle appela, sans exagération « son martyre », car elle était déchirée entre l'autorité de son confesseur et la lumière de Dieu qui la pressait. Elle a surmonté ce « tourment », non par volontarisme, mais en recourant aux sources profondes de sa nature et de la grâce, qu'elle avait été invitée à trouver au pied de l'autel dans la chapelle de la rue du Bac.

Son secret, ce ne sont pas tellement les apparitions, dont ce livre établit enfin le récit authentique, sans vaines additions, ni soustractions, ni confusions. Ce n'est pas d'avoir su cacher son identité, devinée de longue date, dévoilée à sa mort. C'est sa transparence même. C'est cette simplicité qui a dérouté une partie de l'entourage. Ainsi certaines de ses compagnes tenaient-elles pour rien cette rustaude. C'est une autre sainteté, plus mystique, plus brillante et plus éloquente qu'auraient voulu trouver chez elle Sœur Dufès ou Sœur de Tréverret, disent les témoins. Le XIXᵉ était le siècle de l'éloquence, en art et en religion. La vie de Catherine, sans emphase ni romantisme est empreinte avant tout de la simplicité même : cette vertu que Monsieur Vincent mettait au premier plan de l'esprit évangélique et qu'il définissait comme *regard en Dieu*. Oui, Catherine a su tout voir en Dieu, tout assumer en Lui. *Dieu en tout et tout en Dieu,* telles sont les formules qui jalonnent toute sa vie.

Et aussi : *Tout pour Dieu.*

Saint-Vincent.

Quand on la plaignait d'être traitée de niaise, elle disait :

— *C'est autant pour le Bon Dieu.*

Catherine savait voir Dieu dans la joie et dans l'épreuve, dans ses Supérieurs et dans les pauvres. On s'étonnait qu'avec son ascendant et son autorité naturelle, elle ne grondât pas davantage les vieillards ivrognes pour lesquels elle restait bienveillante.

— *Que voulez-vous,* répondait-elle, *je vois Notre Seigneur en eux.*

La voyance de Catherine, au-delà des visions d'exception qui furent limitées aux quelques mois de son Séminaire (avril-décembre 1830), ce fut de *voir* le Christ dans le quotidien : surtout les pauvres et les pécheurs, selon l'identification qu'il a enseignée :

— *J'avais faim et vous m'avez donné à manger... J'étais en prison et vous m'avez visité... Ce que vous aurez fait aux plus petits d'entre les miens c'est à moi-même que vous l'aurez fait.*

Catherine avait horreur du péché, mais elle aimait les pécheurs sans mélange. Elle espérait de Dieu la conversion qui les identifierait pleinement au Christ, à travers leur chemin de Croix. Telle fut sa sainteté, tel fut son regard, partageable et plein de sens : une belle icône de l'Évangile même.

---

1. Cette brève conclusion est développée en traits vivants : actes et paroles de Catherine, dans la grande édition, plus complète, plus détaillée.

Le second volume de cette édition, intitulé *Preuves,* produit les fondements vérifiables et détaillés de ce qui est raconté dans cette vie. Il réduit à leur néant les objections, méprises ou mépris dont Catherine a été l'objet.

Particulièrement significatives sont, dans ce volume, les notes suivantes :
— le séjour de Catherine enfant à Saint-Remy (ch. 1, note 27) ;
— les 2 séjours à Châtillon, qui avaient été réduits à 1 (ch. 2, notes 79 et 93) ;
— les apparitions de la Vierge qui sont au nombre de 3, toutes en 1830, bien différenciées, et non point en nombre indéfini, prolongées en 1831, et toutes semblables comme on le disait (ch. 3, note 106) ;
— l'incognito de Catherine (ch. 5, note 89) ;
— Son héroïsme durant la guerre et la Commune (ch. 6) ;
— les épreuves de sa vie, ses rapports tendus avec Aladel, le mépris qu'elle encourut de la part de certaines compagnes, sa pauvreté, ses raccommodages, la manière dont elle vécut l'amour des pauvres (ch. 9), etc.

TABLE DES MATIÈRES

Achevé d'imprimer en Septembre 1990
par l'Imprimerie TARDY QUERCY S.A. - Bourges
Dépôt légal : septembre 1990 - N° Imprimeur : 16185